新潮文庫

光あるうちに

道ありき第三部 信仰入門編

三浦綾子著

目次

光あるうちに

道ありき第三部　信仰入門編

序章

一

湯たんぽのぬるきを抱きて目ざめゐるこのひとときも生きてゐるといふのか

昭和二十五年、療養中のわたしの歌である。

その朝、わたしは、もうぬるくなって、体温以下になったような湯たんぽを抱いていた。ぼんやりと目をあけたまま、わたしはあたたかい床から起き上ろうとはしなかった。旭川《あさひかわ》の冬は寒い。じっと、いつまでも床の中にいたい怠惰な気持だった。起きて食事をする気すらない。療養中のわたしには、安静も食事も大事な仕事だった。しかし、わたしは何の意欲もなく、ただぼんやりと、ぬるい湯たんぽを抱いていた。

その時、わたしはふっと、そうした怠惰な自分に自己嫌悪《けんお》を感じた。今の自分は、果して生きているといえるのか。この今の自分の姿が、わたしの生き方を示しているのではないか。わたしはそう思った。当時のわたしは、確かに生きる意欲を失っていた。ちょうど、ぬるい湯たんぽを抱いて、ぐずぐずと床の中にねている姿のような生き方だった。

小説を書くようになってから、たくさんの読者から手紙をいただくようになった。

〈わたしは三十歳の主婦です。

近頃、わたしは生きるとは何か、と疑問を持つようになりました。朝起きて食事の用意をし、主人を送り出し、子供を幼稚園に送って行きます。そのあとは、掃除、洗濯、買物、そして夕食の仕事。

ある時わたしは思いました。十年後も、二十年後も、わたしは同じ毎日をくり返しているのではないか、と。くり返すだけで老い行く人生。そう思っただけで、わたしは生きているということが、これでよいのかと考えずにはいられませんでした……〉

〈ぼくは、高校三年生です。受験勉強に追われています。多分来年いま頃は、二流か三流の大学にのそのそ通っていることでしょう。そして四年過ぎると、また、二、三流の会社に通っているにちがいありません。一生平社員か、うまくいっても課長どまりで、停年になるわけです。

ぼくと結婚する女性は、どうせ、人がアッと驚くような美人でもなし、才女でもなし、平凡な家庭、退屈な家庭をつくるでしょう。そして、ぼくに似た凡々たる子が二人か三人生れて、ぼくと同じコースを辿《たど》るにちがいありません。ぼくが停年を迎えると、もう、ぼくを邪魔者扱いにする子供たちだと思います。

こう考えてくると、生きていることが一体何なのか、わからなくなるのです〉

この主婦や、学生の気持はよくわかる。多分、誰もがある日、こんな思いに襲われることがあるのではないだろうか。こんな思いにとらわれる時の、わたしたちの毎日は、決して喜びに満たされてはいない。空《むな》しいのである。

〈こんなふうに一生懸命働いたって、結局は、ただ年をとってしまうだけなんだわ〉

〈いくら頑張って受験したところで、人生の彼方《かなた》に待っているのは、死だけじゃないか〉

まさしく、そうなのだ。


人間は日々に老い行く者とある化粧品の記事を読み返しゐつ

わたしはこんな歌もつくったことがある。十三年もの、長い療養生活も終る頃だった。新聞にはさまって来た化粧品の広告に、わたしはふと目をやった。

「あなたのお肌は日に日に衰えています。人間は毎日、老いている者なのです」

これはあまりにも当然の記事である。人間は生れたその日から、一歩一歩死に近づいている。死から遠ざかっている人はありはしない。老いて行くのは当り前だ。だがその当り前の記事を、わたしはくり返し読んだ。この当然を、わたしたちは忘れていると思った。

「人間は必ず、いつか、何かが原因で死ぬ者なのだ」

死なない人は一人もいない。王でも乞食《こじき》でも、金持でも貧しい人でも、有能でも無能でも、健康でも病弱でも、一人残らず死んで行く。

カトリックの修道院では、

「人間は死ぬ者であることを銘記せよ」

という意味の言葉が、挨拶《あいさつ》の言葉だと聞いたことがある。人間が死ぬ存在であることを、本当の意味で知っている人こそ、本当に生きる人であろう。

前掲の主婦や学生は、確かに自分がいつか死ぬことを知っている。しかし、本当の意味では知ってはいない。わたしたちのとった食物は腹を通り、栄養になるものは吸収されてエネルギーとなり、粕《かす》は便となって排泄《はいせつ》される。食物は栄養となって、はじめて存在の意味があるのだが、どうせ便になるからと、便所の中に投げたのでは無意味である。彼らの考えも、何かこれに似た考え方が底にあるような気がする。

わたしたちにとって大切なのは、いつかは遂《つい》に死ぬ自分が、その日までどのような姿勢で生きるかということであろう。来る日も来る日も、食事の支度と洗濯と掃除のくり返しでもいい。いや、そうであっていい。ただ、いかなる心持で、それらをくり返すかが問題なのだ。家族が楽しく美味《おい》しく食事ができ、清潔な衣服を着て、整頓《せいとん》された部屋に憩《いこ》い、しみじみと幸せだと思える家庭をつくる。それがどんなに大いなる仕事であるか、働きであるかを、考えてみることが必要なのだ。

自分がこの世に存在するが故《ゆえ》に、この世が少しでも楽しくなる、よくなるとしたら、それは大きなことではないだろうか。

二

仕事という字を見てみよう。仕《つか》える事《つか》えると、二字とも、まさしくつかえると読む。仕事とは、つまり仕えることなのだ。働くという本来の字も見てみよう。にんべんに動くと書く。人のために動くこと、それが働くということなのだ。

わたしたちに、もし生きる意欲がなくなっているとすれば、それは適当な仕事がないからではなく、人につかえる、人のために動く気持が失われているからではないのだろうか。

生きているということは、動いているということだ。心臓がかすかにでも動いているうちは生きている。死ぬとは、全く動かないことだ。死ねば呼吸もとまり、心臓も全く停止する。だが、生きていて死んでいる状態の人間がいる。それは、人のためには決して動かない人間だと思う。つまり、働くことのない人間の心は死んでいる、とわたしは思う。

わたしが結核である病院に入院した時、わたしはすぐに睦子《むつこ》という人の名を知った。

「ちょっと、睦子さんの所に行ってくるわ」

同室の患者たちは、よくそう言った。

「睦子さんに聞いてくるわ」

看護婦たちも、何かの時にそう言った。

「今、睦子さんの所に行って来たのよ」

他の部屋から来る患者もそう言った。

「そんなことをしたら、睦子さんに言うぞ」

男の患者もそう言った。だが睦子なる女性は、わたしの部屋を一度も訪れたことはなかった。わたしはその女性に興味を持った。多分彼女は、金持の美しい娘で、個室に豪奢《ごうしゃ》な生活を送っているにちがいない。金の力で、病院の女王になっているのではないか。そんなことを考えた。

やがてわたしは同室の患者に尋ねた。

「睦子さんて、どんな方？」

「あら、睦子さんを知らないの。連れてってあげる」

彼女は気やすく答えて、わたしを睦子という女性の部屋に連れて行ってくれた。

彼女の部屋は個室だった。だが、決して金持の娘でもなく、いわゆる美人でもなかった。重いカリエスで、十年もギプスベッドに臥《ね》たっきりだった。もう三十五、六であろうか。彼女ははじめて訪れたわたしに手をさしのべて、にっこりと笑った。

「ようこそ。あなたはどこがお悪いの」

心にしみる何とも言えないやさしい笑顔だった。顔が輝いていた。それは単なる美人よりも、魅力的な美しさだった。

「治るわよ、きっと治るわよ」

彼女は自分の病気のことより、相手の病状を気づかった。会っただけで、こちらの気持がほぐされ、何か楽しくすらなった。
　十七、八の患者が入って来た。
「どう？　この髪」

　彼女の前に顔をつき出すと、すかさず彼女は言った。

「まあ、かわいい。でも、ちょっと耳にかけるといいわ。とてもよく似合うわ」

　若い患者は満足して出て行った。何とやさしい笑顔の人だろう。わたしは彼女のまなざしが誰に対しても、いつくしみがこもっているのに驚いた。それは、いい加減な甘やかしの笑顔ではない。長い間、悲しみ苦しんだ人のみが持ついつくしみの笑顔だった。

　睦子さんは確かに病人である。長い間、じっとベッドに臥ていて、何の働きもしないように見える。だが彼女は多くの病人を慰め、力づけた。彼女がそこにいる。それだけで、人々は日々慰められたのだ。生きている人とは彼女のような人をいうのではないか。働くとは彼女のように、人のために心をつかう人のことではないだろうか。

　わたし自身も、睦子さんには及ばないが似た体験をした。洗礼を受けるまでは、生きることがむなしく、何のために生きているかわからない、虚無的な人間だった。それが信者となってからは、人のために祈ることを、自分の仕事とするようになった。

そして、ギプスに仰臥《ぎょうが》したまま、たどたどとハガキを書いて友人たちに送った。

祈ること、ハガキを書くことなど、大した仕事には思われないかも知れない。だが、それまでは、自分のことばかり考え、親やまわりの人の気持も考えずに、死にたいとばかり思っていたわたしである。それが、ともかくも一人一人の友の上に思いを馳《は》せて、祈り、ハガキを書くに至ったのだ。確かに全く別人になったような変化だった。

このように変ったわたしの病室には、病人はもちろん、看護学校の生徒や、医学生までが何かと相談にきたり、遊びにくるようになった。大の男の学生が、何も言わずに、わたしのベッドによりかかって泣いたことがある。わたしは、何も聞かずに泣くままにしておいた。涙がおさまった頃、ちり紙とくしと手鏡をさし出したら、

「ありがとう」

と、にっこり笑って、顔をととのえて帰って行った。また、これは自宅に帰ってからだが、夜も十二時を過ぎて訪ねてきた男の友だちがいた。たたみの上にゴロリとねころんで、はらはらと涙をこぼしていたが、しばらくして帰って行った。わたしの父母は、色々な訪問客に馴《な》れていて、この深夜の客にもいぶかしい目を向けなかった。

それはともかく、大の男も、一生にいく度かは、どこかで思いっきり泣きたいこともあるのをわたしは知った。そしてその時以来、何の役にも立たない病人のわたしの所

に来て、泣いてくれた人たちのあった事実を、わたしは忘れることができない。

わたしの所属する旭川六条教会で、昨年中西絹さんという方が逝《な》くなられた。確か、まだ六十歳にはなっていなかった。農家の主婦で、教会の礼拝にも始終出席することのできない忙しい方だった。わたしも、生前数度お目にかかっただけの方である。

だが、この方の葬儀に出席して、わたしは深く心うたれた。まだ小学校に入らないようなお孫さんまでが、通夜《つや》の時も葬式の時も、ハンカチをグッショリぬらして泣いていたのだ。小さな子供たちというものは、葬式に人がたくさん集まるのが珍らしくて、ともするとさわいだり、はしゃいだりすることが多い。死という悲しみを、受けとめることのできないその無心さが、かえって涙を誘うものだが、この中西さんのお孫さんたちは、心から祖母の死を悼《いた》んで泣いていた。そればかりではない。女性たちはもちろん、陽にやけた、一見して農家の人とわかる老人や、中年の男たちも、時折目がしらをおさえ、鼻をすすり上げている。そんな姿があちこちに見えた。親戚《しんせき》か同じ部落の人か、それは知らない。だが、会葬者がこんなに多数涙を流す葬儀に、わたしはめったにあったことがない。

北海道の葬儀は、東京あたりとちがって、小さな葬式でも百人ぐらいは人々が集まり、大きければ千人も来る。義理で参会し、葬儀中、退屈そうにしている人や、居ねむりしている人も中にはいる。

この中西さんの葬式のように、小さな子も、大人も共に泣くというのは、確かに珍らしいことであった。絹さんの息子さんは、母親の苦しみを和らげるため、自分が病人を抱きかかえ、病人の下になって看護していたという。

わたしは、この中西絹さんは、立派に生きた人だと思った。小さなお孫さんにも、同業の人たちにも、あたたかい心で接し、忘れられないものを残して逝《い》ったにちがいないと思った。中西絹さんは、いわゆる無名の農家の主婦であったかも知れない。絹さん自身としても、農家に嫁ぎ、子供を生み、野良《のら》に出て働いた平凡な一生であったと思っていたかも知れない。

しかし彼女の葬儀には、人々の愛惜の情が満ち溢《あふ》れていた。どんな立派な記念碑よりも、もっとすばらしい記念碑を、彼女は会った人々の胸の中に建てて来たにちがいない。彼女自身、何も知らずに建ててしまったにちがいない。多分彼女は、泣く人と共に泣き、喜ぶ人と共に喜んだだけというであろう。具体的に、中西さんの生活をわたしは知らないが、

(ああ、この人はかけがえのない存在として、立派に命を全うしたのだ)

と、しみじみ思わせられたのだ。

わたしの葬式の時、何人の人が泣いてくれるだろう。わたしは彼女を思って、時々そんなことを考える。本当の意味で生きた人の死だけが、本当の死なのではないだろうか。生きているか、死んでいるか、わからない生き方では、本当に死ぬこともできないのかも知れない。

三

ところで、わたしたちは、自分自身の生き方を正視すると、憂うつにならざるを得ない。よほど立派な人か、よほどうぬぼれの強い人なら、

(世の中の人々は、この自分を必要としている)

と、思うことができるだろう。わたしの知人は、

(世間はともかく、少なくともわたしの夫と子供は、わたしを必要としている)

と、自信を持って生きていた。事実彼女はまことに有能で、百円札一枚しかなくても、卵三個に、あり合せのメリケン粉をまぜ、玉ねぎとひき肉を具にしたオムレツを五人前つくる。二百円あると、鳥肉とソーメンを入れた茶碗《ちゃわん》むし、いかの刺身に庭のしその葉をあしらって、堂々たるごちそうに見せることなど、文字通りお安いご用で

ある。

ところがある日、夫に女ができたことを知り、大騒動になった。夫は、それまではひたかくしにかくしていたが、一旦《いったん》知られたとなると、堂々と居直って女の家に入り浸りになってしまった。

「うちだけは、わたしがいないと生きていけないと思っていたのよ」

人ごとではない恐るべき話だった。こんな時、一体わたしたちはどうしたらいいのだろう。自分がいてもいなくてもいい存在どころか、いないほうがいい存在と知った時、一体どう生きて行ったらいいのだろう。

わたしの教え子の一人は、詐欺《さぎ》と窃盗で入獄し、出所したら妻は友人にとられ、父親には家に入れてもらえず、くびをつって死んだ。妻にも親にも、自分は不要だということ程、淋《さび》しいことはないであろう。

また、ある老人がいた。彼は一代にして事業を起し、たくさんの財産を得た。だが、実子がなく養子だった。彼はその財産をことごとく養子名義に変えた。だがその養子は、性質があまりよくなかったと見え、財産のない老人をないがしろにした。老人は、財産を与えたら、大事にしてくれるだろうと思ったのだが、その反対だった。老人は山の奥深く入って、一人木の下に死んだ。

こんな話は、事あたらしくここに書くまでもない。わたしたちは、似た話を新聞の三面記事でよく見かけるのだ。

「お前なんか二度と見たくもない」

「あんな奴《やつ》は見たくもない」

わたしたちは、こんな言葉を時折聞く。見たくないというのは、一生見ないためには、死んでほしい、つまり死んでしまえということなのだ。この恐ろしい言葉が、人を死に追いやっている。

もし、誰にも必要とされない、誰からも用いてもらえない家具があるとしたら、それは廃物である。廃物廃品は、不要なばかりでなく、邪魔になる。雑品屋に売り払われるか、こわして燃やされてしまうしかない。

わたしは、まる十三年療養したが、一時期つくづくと自分は廃品同様の人間だと思ったことがある。ただ臥ているだけである。食事の用意をしてもらい、便器をとってもらい、洗濯をしてもらう。医者代薬代はかかる。心配をかけるだけで、一向に病状はよくならない。自分が家にいるために、父母も弟たちも気持が暗いだけじゃないか。あと五年たったら治るのか、十年たったら治るのか、見当もつかない。いつ死ぬのか、それもわからない。こんな自分が生きていてよいのかどうかと、つくづく考えずにはいられなかった。

(つまりは死んだほうがいいのだ)

そんな気持だった。そのわたしに、

「生きるというのは、権利ではなく、義務ですよ」

と教えてくれたのは、幼馴染《おさななじみ》のクリスチャン前川正だった。生きるより死んだほうが楽な状態において、

「生きるのは義務だ。義《ただ》しい務めだ」

と言われた時、わたしははっと立ち直らせられる思いだった。

この廃品的存在のわたしが、前述したとおり、いつしか人々の訪問の絶えない、人に必要とされる存在になってしまった。全国各地にペンフレンドも与えられた。その中には、福岡、小菅《こすげ》、仙台の拘置所にいる死刑囚や、また牧師、宣教師たちもいた。わざわざ東京から旭川まで見舞に来てくれる友もいた。

物品は廃物となっても、人間は決して廃物とはならないのだ。わたしはそのことを、廃物同様の自分の体験から知らされたのだ。

ここで思い出したが、当時ペンフレンドの一人が、こんな手紙をくれたことがある。

〈わたしはこの間、長年のねがいがかなって、癩園《らいえん》に一泊して参りました。わたしの

ねがいは見舞うことでしたが、結果は見舞われて帰って来たようなものでした。

　中でも、Aさんはすばらしい人でした。彼はもう五十を過ぎているようでした。目も見えず、指先もマヒして、舌で点字の本を読むのです。彼は立つことも、寝返りすることも一人ではできません。食事も人に面倒みてもらわねばならないのです。

　彼が一人でできること、それはね、呼吸をすることだけなのです。呼吸をすることだけなのですよ。でも、Aさんの顔は光り輝いていました。喜びに溢れていました。

　呼吸しかできない人が、こんなに輝いている。その事実にわたしは打たれました。自分では呼吸しかできない人が、なぜこうも輝いているのか。その秘密は彼の枕《まくら》もとにある点訳の聖書でした〉

　この手紙に、わたしは深く感動した。呼吸することしかできない人間は、他から見ると廃品のような存在かも知れない。しかし、手が動かず、足が動かず、目が見えなくても、人間は人間なのだ。しかもその人間が、輝くばかりの喜びに生きているとしたなら、どんなに多くの人を励まし、勇気づけることであろう。人を励まし、希望と勇気を与えること、これこそ本当の人間の生き方ではないだろうか。神は人間を廃品とはし給《たま》わない。

「人間は生きている限り、いかなる人間であっても使命が与えられている」

という誰かの言葉がある。人からは、どんなにつまらなく見られる人間でも、神にとっては廃品的存在ではないのだ。どんなに頭が悪くても、どんなに体が虚弱でも、足がなくても手がなくても、耳が聞えなくても、口がきけなくても、目が見えなくても、精神薄弱児でも、重症身体障害者でも、神にとって、廃物的存在の人間は一人もいないのだ。みんな何らかの尊い使命が与えられているのだ。

どんなに嘘《うそ》つきでも、非行的な性格でも、盗癖があっても、残忍でも、親不孝でも、冷酷でも、神にとっては捨つべき存在はない。その誰に対しても、神は人間として新しく生きる力を与え得るのだ。また与えつつあるのだ。

これは、わたしが言うのではない。信者たちは、そうした奇跡的な例を、限りなく知っている。人間が人間として生きて行くための、神の力を知っているのだ。

わたしは、これから毎号、その神を信ずるために必要な、基本的な問題をとりあげて、書きつづって行きたいと思う。

神とは何か、キリストとは何か。罪とは何か。なぜ苦しみがあるのか。奇跡はあるか。救いとは何か。死とは何か。科学と宗教について。愛とは、幸福とは、生きる目的とはなどなど、わたしなりに平易に書いて行きたいと思う。

そして、呼吸することしかできない人にさえ、光り輝く顔で生きることのできる力を与えてくださる神を、知っていただきたいと思う。

わたしたちの今日の一日を、ここで一人一人顧みていただきたい。今日の一日は、あなたの人生に、あってもなくてもよい一日だったか。どうしても、なくてはならぬすばらしい一日だったか。もしくは全くなかったほうがよかったような一日だったか。

そしてまた考えていただきたい。今日のような毎日が積み重なった一生は、すばらしく有意義なものか。今日のような毎日の積み重ねは、何の意味ももたらさないか。今日のような毎日の続く一生なら、むしろないほうがいいか、どうか。

わたしがもし、自分の毎日をこんなふうに大別してグラフを作ったら、ないほうがいい日が一番多く、有意義な日は甚《はなは》だ少ないような気がする。ただ、このように、少しでも意識して、自分の生活を大切に生きようとすると、一日といえども、いい加減に生きてはならぬことを知らされるような気がする。

前にも述べたように、わたしたち人間は、すべて死ぬ。必ず死ぬ。事故か、病気か、老衰か、とにかく必ず死ぬのだ。昨日よりも今日は死に近い。明日は今日より更に死に近いのだ。

もし、わたしたちの命が今日しかないとしたら、今日の一日はどんなに大切であることか。もし、全財産を投げ出して、明日もう一日生き得るなら、わたしたちはすべてを投げ出して明日の一日を買うだろう。それほど貴重な一日なのに、わたしたちは、来る日も来る日も、漫然と送り迎えているような気がする。

そのわたしたちに、本当の生き方を教えてくれるものが宗教である。世には一生神のことを考えずに生きる人もいる。しかし、何かは知らぬが、人間以上のものを求めつつ生きている人、神を求めつつ、ひたすらに生きて行く人もいる。

わたしはクリスチャンである。キリスト信者の中では、まことに至らぬクリスチャンである。しかしクリスチャンである以上、その立場に立って、信仰の話を語って行きたいと思う。

この小さな者の言葉が、読者の方の唯《ただ》一人の人の生き方の上にでも、何らかの役に立つならば、これにまさる喜びはない。

罪とは何か

一

小説「氷点」のテーマは「原罪」であると、朝日新聞にわたしは書いた。それ以来、「原罪とは何ですか」

という便りが殺到し、会う人毎《ごと》に同じことを聞かれた。わたしは、

「人間が生まれながらにして持っている罪のことです」

などと答えたりしたが、多分わたしのこの答えでは、充分にわかっていただけないだろうと思った。ある人は、

「性欲も、食欲も原罪だそうです」

と座談会で語っておられ、わたしは困ったなあと思ったものである。

この項で、わたしは改めて「罪」について語り、「原罪」に及んでみたいと思って

いる。

「道ありき」にも書いたが、わたしは終戦後、西中一郎という男性ともう一人の男性の二人と殆《ほと》んど同時に婚約をした。先に結納を持って来た人と結婚すればよいと思っていた。そんな自分をわたしは悪い女だとさえ思わなかった。

もし、これが逆であったらどうであろう。ある男が、わたしと婚約し、同時に他の女と婚約していたとしたら、わたしは烈火のごとく怒ったにちがいない。「不誠実！」「女たらし！」「詐欺漢《さぎかん》！」などなど、ありとあらゆる罵《のの》しりの言葉を以《もつ》て攻撃したにちがいない。

だが、自分が二人の人と婚約した時に、わたしは、そんな不誠実な自分を格別、責め咎《とが》めもしなかった。罪深いなどとも、それほど思わなかった。

後に、わたしは真実な恋人であり、キリストへの導き手である前川正を得た。わたしは札幌に入院し、前川正からは毎日のように手紙がきていた。そこに結婚したばかりの西中一郎があらわれた。

彼は、もとの婚約者がまだ寝たままであることに胸を痛め、毎日のように見舞ってくれるようになった。彼には新妻があり、わたしには恋人の前川正がいた。

だが、わたしは別段悪いことをしているとは思わなかった。これがもし、前川正のところに、昔の婚約者であった女性が毎日あらわれたとしたらどうであろう。わたしは、前川正を裏切者とし、その女性を浮気者と憎んだにちがいない。

また、万一、三浦がわたしにかくれて、昔の婚約者を毎日見舞ったとしたらどうであろう。わたしは嫉妬《しっと》のあまり三浦を刺し殺したかも知れず、相手の女性を恥知らず、泥棒猫と怒ったかも知れない。

だが、わたしは、西中一郎の妻の身にもならず、前川正の立場に立って考えもせず、別段、罪深いことをしているとは思ってもいなかった。

そしてこの時、わたしは、

「罪を罪と感じ得ないことが、最大の罪なのだ」

と知ったのである。

これは、しかし、わたしだけの体験であるだろうか。時折、わたしは講演で話すことがある。

「もし、子供さんが、花びんをこわしたりしたら、どうするか。いつも不注意だからよ、そそっかしいからよ、などと言って、自分は今まで皿も花びんも一切割ったこともなく、今後も一生割ることはないような顔つきで、叱《しか》るのではないか。しかし、もし、自分が割った時はどうするか。ちょっと舌を出した程度で、自分の過失はゆるし、決して、子供を叱る時のようには、自分を叱らない」

と。

子供がして叱られることなら、自分がしても叱られるべきだ。だが、わたしたちの心には二つの尺度があって、自分の過失を咎める尺度と自分以外の人の過失を咎める尺度とは全くちがうのだ。

くどいようだが、これは罪の問題を考えるのに重要なことなので、更に例を引いて考えてみたい。

わたしの知人は、車で子供をひいた。彼は、急に飛び出してきた方が悪い。子供をよく躾《しつ》けていなかった親が悪いと言っていた。ところが、その後自分の子供が車にひかれて死んだ。

彼は半狂乱になり、

「こんな小さな子供をひき殺すなんて」

と、運転手に食ってかかり殴りつけた。

「金をどれだけ積んでも、子供は返らん。金など要らん、子供を返せ」

とわめき、手がつけられなかった。

自分が、子供をひいた時は、相手の親が悪く、自分の子がひかれた時は、ひいた運転手が悪い。人々は陰で頭をひねっていた。

だが、わたしは、この人を笑うことはできない。これは、わたしたち人間の赤裸々な姿だと思う。わたしたちは、自分の罪がわからないということでは、この人と全く同じだと思う。

わたしたちは、何人か集まると、人の噂《うわさ》をする。噂という字は、口へんに尊いと書く。わたし流に解釈すると、噂とは、人を尊敬して語ることではないかと思う。

ところが、わたしたちのする人の噂というのは、その反対ではないだろうか、人の悪口にはじまり、悪口で終る。それが噂であり、人に聞かれたくないような秘密を、あばくことが噂になっているのではないだろうか。

「あの人の御主人って、浮気なんですって。会社の女事務員のアパートに泊ってくるとか、来ないとかで、この間も大喧嘩《おおげんか》よ」

「あの方、女子大を出てるっておっしゃってるけれど、一年だけで中退らしいのよ」

「どうして、あんなけばけばした化粧をなさるのかしら。あの方と歩くの恥ずかしいわ」

「あそこの子供さんは成績が悪いらしいわ。やっぱり親御さんに似るのねえ」

「御主人をアゴでつかうのよ。見送りに玄関まで出た姿を見たこともないし、すごい女性上位よ」

噂の中身は、大たいこんなものではないだろうか。それを、人によっては微に入り細にわたり、活写して、人に聞かせる芸の持主もいる。自分が聞いた話に、尾ひれをつける細工のうまい人もいる。とにかく、いとも楽しげに人の悪口を言い、且《か》つ聞いているものなのだ。そして、

「ああ、今日は楽しかったわ。またね」

と帰って行く。人の悪口が楽しい。これが人間の悲しい性《さが》なのだ。

だが、もし、自分の陰口を聞いた時、一体わたしたちはどうであろう。

「ひどいわ、ひどいわ」

と、怒ったり、口惜《くや》しがったり、泣いたりして、夜も眠られないのではないだろうか。自分の陰口をきいた人を憎みに憎んで、顔を合わせても、口もきかなくなるのではないだろうか。

自分がそれほど、腹立つことなら、他の人も同様に腹が立つはずだ。一晩自分が眠られないなら、相手も眠られないはずだ。そのはずだが、それほど人を傷つける噂話を、いとも楽しげに語る。わたしたちは、一体どんな人間なのであろう。

わたしたちは、自分を「罪人《つみびと》」だなどと思ってはいない。罪深いなどと考えたりはしない。

「わたしは、人様に指一本指《さ》されることもしていません」

わたしたちは、大ていそう思っている。それは、そうなのだ。なぜなら、前にも記したように、わたしたちは常に、尺度を二つ持っているからだ。

「人のすることは大変悪い」

「自分のすることは、そう悪くない」

この二つの、はかりが心の中にあるからだ。

つまり、「自己中心」なのだ。「自己中心」の尺度で、ものごとをはかる限り、自分は悪くはないのである。なぜなら、それは、

「自分のすることは、そう、悪くはない」

というものさしなのだから。

それどころか、

「自分のすることはすべてよい」

というものさしを持っている人さえいる。

ある人の隣家の妻が、生命保険のセールスマンと浮気をした。彼女は、

「いやらしい。さかりのついた猫みたい」

と眉《まゆ》をひそめ、その隣家の夫に同情した。何年か後に、彼女もまた他の男と通じてしまった。だが彼女は言った。

「わたし、生まれてはじめて、すばらしい恋愛をしたの。恋愛って美しいものねえ」

聖書に、次のような話が出ている。

昔、ダビデという王がいた。そこにナタンという預言者が来て言った。

〈ある町に、二人の人がいます。一人は大そう金持で、一人はそれはそれは貧しいのです。金持は非常に沢山の羊と牛を飼っているのですが、貧しい人は、一頭の雌の小羊しか持っていませんでした。

王さま、この小羊を貧しい男は、大事に大事に育てました。男は自分の子供のようにかわいがって、ふところに入れて寝ていたのです。ところが、一人の旅人が、ある時、金持の家に参りました。

ところがですね、王さま、この金持はその旅人に自分のものを食べさせるのが惜しくて、その貧しい男の大事な大事な小羊をとってきて、料理して旅人をもてなしたのです〉

この話を聞いたダビデ王は、その金持のしたことを、大変な権幕《けんまく》で怒った。

〈神は生きておられるのだ。そんな非情なことをした奴は死刑だ。そして、その貧しい男に羊を四頭返させるがいい〉

その時ナタンは、ダビデ王をきっとにらんで言った。

〈王よ、あなたが、その死刑になるべき金持です！〉

言われて、ダビデ王はがくぜんとした。

というのは、ダビデは重大な罪を犯していたからである。

ある日の夕ぐれ、ひる寝からさめたダビデは、王宮の屋上に立った。と、屋上から、一軒の家の庭が見えた。その庭で、一人の女が体を洗っていた。非常に美しい女だった。一体どこの女かと、早速家来に調べさせたところ、部下のウリヤの妻バテシバであった。誰の妻でもかまわない。ダビデ王は、使者にその女を連れて来させた。そしてダビデは、バテシバと床を一つにしたのである。

女をすぐに家に帰したが、その後女から、

「あなたの子供を宿しました」

とダビデに告げて来た。

ダビデは困惑した。ユダヤのおきてでは、姦通《かんつう》した者は石で殺されなければならない。ところが、バテシバの夫ウリヤは、戦争に出ていて、妻とは離れていた。ダビデは早速ウリヤを戦線から呼び戻した。そしてウリヤの労をねぎらい、たくさんの贈り物をし、家でゆっくり休めとすすめた。

しかしウリヤは忠実な家来だった。美しい妻のもとには帰らず、他の同僚と共に王宮に泊った。自分の隊長も、その家来たちも、今戦地にいるのに、自分だけが家に帰って楽しい思いをすることはできないというのである。翌日、ダビデはウリヤに酒を飲ませたが、やはりウリヤは妻のもとには帰らなかった。

ダビデの計画は破れた。今ウリヤが妻と寝てさえくれれば、バテシバの子はウリヤの子と言える。しかしウリヤの忠実は、はからずもダビデの思いをくつがえした。

ダビデは更に一計をたくらみ、ウリヤの隊長に手紙を書き送ることにした。ウリヤを激戦の真《ま》っ只中《ただなか》に置き去りにし、彼を戦死させよという手紙である。その手紙を、事もあろうにウリヤの手に託して隊長ヨアブに送らせた。忠臣ウリヤは、何も知らずその手紙を命ぜられるままに隊長に届けた。

ウリヤは奸計《かんけい》によって戦死した。ダビデはウリヤの妻バテシバを何人目かの妻に加えて王宮に迎えた。そしてバテシバは子を生んだ。

神はこのダビデを怒り、預言者ナタンをダビデ王に遣わしたのである。ナタンが語った大金持はすなわちダビデであり、貧しき男はウリヤであった。だが、ダビデは他人のこととして聞き、その金持を怒り、貧しい男に同情し、金持を死刑にすべきだとさえ言った。

「あなたがその金持である」

と指摘されて、ダビデは神を恐れてふるえあがった。

「わたしは罪を犯しました」

ダビデはひざまずいて、真剣に悔い改めた。

このダビデと、わたしたちは似た者なのである。部下の妻を盗み、その部下を故意に戦死させたことは、それほどの罪と思わず、大金持が、貧しい男の小羊を奪ったことを、死刑に値するとまで怒る。これがわたしたち人間の罪に対する感覚なのであろう。それでもダビデは、預言者に直言されてふるえあがった。そこはまだ偉いと言える。神を恐れず、人を人とも思わぬ権力者なら、古今を問わず、このナタンのごとき人物など、抹殺《まっさつ》して憚《はばか》らぬであろう。

聖書にはこのように、王であれ、誰であれ、その罪の姿は容赦なく書きしるされている。神聖にして犯すべからざる人間など、聖書には一人もいない。

このダビデは、これでもユダヤでは名君で、国民に愛された王なのだ。いかに敬愛された王ではあったとしても、その罪は明らかに書き残されているのである。

二

わたしたちは、自分の罪を計る物指《ものさし》と、人の罪を計る物指と、二つを持っているとわたしは書いた。自分に都合のいいはかりを持っている。これが自己中心のあらわれである。この自己中心が罪のもとだと、わたしたちは教えられている。自分中心にものを考えることが「人はどうでもいい」ことにつながり勝ちで、これが罪の温床とも言える。

自己中心でない人は一人もいない。一人の人間がこの世に生きて行くためには、自分が自分を大事にすることはまさしく必要である。だが、この「自分を大事にすること」と、「自己中心」とはちがう。この自己中心を押し進めて行くと、「人はどうなってもかまわない」ということになり、自分が憲法になり、自分にとって都合のよいことが正しいことになり、都合の悪いことが正しくないことになる。

わたしは曾《か》つて小学校の教師をしていた。どんな職業でも同じかも知れないが、特に小学校の教師は、仕事をする気になればいくらでもあり、怠けるつもりになれば、いくらでも怠けられる仕事だった。綴《つづ》り方一つ採点するにしても、教師によってやり方がちがう。一字一字ていねいに読み、誤字を訂正し、感想を書き、上手な綴り方は、ガリ版を切って印刷までする教師もあれば、さっと斜めに読んで、適当に採点し、評など全く書かない教師もある。中にはもっとひどい教師がいて、

「おい、誰かこの綴り方を読んでくれないかな」

などと、幾日も机の上に積み重ねておく教師さえいた。

また、子供に宿題を出した以上、その答案には必ず丹念に目を通し、丸をやる教師もいれば、答案は出させっ放しという教師もいる。

あるいはまた、生徒が一カ月休んでも、家庭訪問をしない教師がいれば、腹痛などで早退した生徒の所に、その日のうちに見舞に行く教師もいる。

ところで、職員室で大きな顔をしているのは、勤勉な教師か怠惰な教師であろうか。驚いたことに、大ていの場合怠惰な教師のほうが威張っているのだ。

「いくら働いたって、月給は上りませんよ」

「ボーナスが近くなったからと言って、そう働くことはありませんよ」
二、三人たばこをくゆらしながらの雑談の合間に、勤勉な同僚を揶揄《やゆ》する。勤勉な教師は悪いことでもしてるように、顔をあからめて、肩身のせまい思いで仕事をしている。

これに似たことは、子供の時から、わたしたちも経験してきた。たとえば受持の教師が休んだり、早退したりすると、よく掃除当番をずるけたくなる。

「今日は、机だけ並べて、掃除はサボらないか」

ガキ大将が提案し、みんなが賛成する。その中に一人、

「いや、ぼくは掃除をするよ。当番だからね」

などと言う者がいようものなら、たちまち、仲間はずれにされてしまう。

「いやな奴《やつ》だな」

ときらわれてしまう。掃除をすることは悪いことではない。正しいことなのだ。だが、わたしたちは、自分が正しくないので、あまり正しい人は、煙たいのだ。自分が裁かれているような気がする。よく働く教師、熱心な教師をからかったり、まじめな友だちをきらったりするのは、これまた、自己中心のあらわれなのだ。自分が正しいとする自己中心な気持は、自分より正しい人間をきらうのだ。

三浦は酒も飲まない。たばこものまない。勤めていた時も、定期便のごとく十分と時間を違えず帰宅する。疲れていても、妻のわたしを指圧してくれる。決して女遊びなどしない。

日曜には教会に行き、ひまひまには短歌をつくり、習字をする。英会話の勉強をす

る。娯楽はたまに、わたしの弟が来たら、碁をうつ程度で、家にはテレビもおかない。(むろん三浦も罪人の一人であるが)こんな男性のそばにいる男性は、三浦が煙たいにちがいない。三浦のように真面目《まじめ》になりたいと思うよりは、三浦も自分と同じようになってほしいと思うのではないか。わたしのきょうだいたちは、時折冗談に、

「三浦のおにいさんを見なさいと言われるんでかなわんよ」

と言うことがある。

人間は元来、正しいことや、清いことが、あまり好きではないのである。もし好きならば、正しい人、清い人を煙たがったり、仲間はずれにしたりはしないにちがいない。自分と同じ程度の人と、わたしたちは仲間になる。その方が安心なのだ。むやみに正しい人が、そばにいると不安になり、気持が乱される。

たとえば、非常に正直な商人が、隣で商売をはじめたら、どうであろう。何のかけひきもない商売をし、帳面も一切嘘《うそ》いつわりなく記帳し、税金の申請も真正直だとする。万事適当にしていた商人から見ると、こんな同業者はありがたくない。

家庭の主婦にしても同じである。子供が生まれたから手が廻らないと言って、家の中の整理整頓《せいとん》や、夫の身のまわりにも手をぬいているとする。

その隣に、子供を三人もかかえながら、家の中から庭の手入れまで立派にやっての

ける主婦が越して来たら脅威である。もはや、子供が一人できたからという口実は通らなくなるからだ。

また、悪口の好きな人間は、その話にのって来ない人間がきらいである。

「ね、あの奥さんって、美人だと思って、つんとすましているわね」

ときり出しても、

「そうかしら。別段すましていらっしゃらないわ。とにかく美しい方ですねえ」

などと返事がかえってくるのでは、腹立たしい。つまり、自分に気持を合わせない人間はいやな人間なのだ。共犯者にならない人間はけしからぬ人間なのである。

以上、くどいぐらい、わたしは人間の自己中心を書いてきた。それは自己中心が罪のもとだからである。

ところで、自分自身はどうか。よく胸に手をおいて、ここで考えたい。常日頃、自分は正しい。何も悪いことをしていないと思っている人も、自分の姿が、そろそろ見えてくるのではないだろうか。よく、

「キリスト教は、人を罪人扱いにするから、きらいだ」

という言葉を聞く。しかし、罪ある人間を罪あると言うことは、何と親切なことではないか。病気の人を病気だと言わずに放っておいたら、どうなるか。やはり、病気

の時は病気だと言ってもらった方が、わたしはありがたい。

「義人なし、一人だになし」

と聖書にははっきり書いてある。正しい人は一人もいないということである。

ここで、ちょっと、罪という言葉を分類してみたい。わたしたちは日常、罪という言葉を、どのように使っているだろうか。

○法に触れる罪

泥棒、殺人、詐欺《さぎ》、傷害などから、収賄《しゅうわい》、贈賄、選挙違反などさまざまある。

○道徳的な罪

法律には触れないが、不親切、裏切、多情、短気、意地悪など、生活の中でお互いに迷惑をかけたり、かけられたりしている罪。

○原罪

宗教用語で、原語は「的《まと》はずれ」ということだと聞いている。人間はもともと、神の方を見なければいけないのに、自分ばかり見ていることが的はずれなのだ。つまり、神中心であるべきなのに、自分中心であること。これが、わたしたちの原罪なのである。

わたしたちは刑務所に入っている人間よりは、自分の方が罪がないと思っている。だから、この世を大きな顔をして歩いており、たまたま、刑務所を出た人を見ると、

「あの人は刑務所にいたのよ。泥棒してたんですって。いやあねえ」

と眉《まゆ》をひそめる。

だが、果たして刑務所に入っている人間より、わたしたちは罪深くないかどうか、それは実はあやしいものである。

これも、時折、わたしは講演で話すのだが、たとえば、

「泥棒と悪口を言うのと、どちらが罪深いか」

という問題がある。わたしの教会の牧師は、ある日説教の中で、

「悪口の方が罪深い」

とおっしゃった。

大事にしているネックレスが取られたとしても、それは、

「高価なものだったのに、惜しいことをした」

「記念に彼にもらったものなのに、残念だ」

という、痛み程度にとどまるだろう。泥棒に入られたために自殺した話は、あまり、わたしは聞いてはいない。

だが、人に悪口を言われて死んだ老人の話や、少年少女の話は時折聞く。

「うちのおばあさんったら、食いしんぼうで、あんな年をしてても、三杯も食べるのよ」

とかげで言った嫁の悪口に憤慨し、その後一切、食物を拒否して死んだ話。

「A子さんはS君と怪しい仲だ」

と言いふらされて、死を以《もっ》て抗議した話。

また、精神薄弱児の三割は、妊婦が三カ月以内に強烈なショックを受けた時に生まれるとも聞いた。ある妻は、小姑《こじゅうと》に夫の独身時代の素行を聞き、更に現在愛人のいることを知らされた。それは意地の悪い告口だった。幸せ一杯のあに嫁への嫉妬《しっと》から出た言葉だった。この小姑の話に、丁度妊娠したばかりの妻は大きなショックを受け、生まれたのは精神薄弱児であった。何とおそろしい話であろう。

わたしたちのなにげなく言う悪口は、人を死に追いやり、生まれてくる児を精神薄弱児にする力があるのだ。悪の力だ。泥棒などのような単純な罪とはちがう。もっとどろどろとした黒い罪だ。人を悪く言う心の中にとぐろを巻いているのは何か。

敵意、ねたみ、憎しみ、優越感、軽薄、その他もろもろの思いが、悪口、陰口となってあらわれるのだ。この世に、人の悪口を言ったことのないものはないにちがいない。それほどわたしたちは一人残らず罪深い人間なのだ。にもかかわらず、わたしたちは、その罪深さに胸を痛めることは、甚《はなは》だ少ない。

「罪を罪と感じないことが罪だ」

とわたしは書いた。こう書きながら、わたしは、わたしの罪に対する感覚の鈍さに慄然《りつぜん》としてくるのである。

人間この弱き者

一

自己中心は罪のもとだと、わたしは書いた。自己中心的な人間は、自分の考えに拍手喝采《かっさい》をしてくれないものを憎む。前にも述べたとおり、自分が悪口を言う時に、共に悪口を言わぬ相手を嫌う。自分が怠ける時、共に怠けない友をうとむ。酒を飲む人間は飲まぬ人間を軽蔑《けいべつ》する。つまり自分の共犯者（いささかどぎつい表現だが、いわば自分の同調者）でない者は大嫌いなのだ。

考えてみると、わたしたち人間と絶対共犯者にならない、正しく清い存在は誰か。それは神である。だから、自己中心であればあるほど、神を嫌う。神を見ようとはしない。神を無視してやまない。

「神のほうを見ない」

これが原罪なのだ。神を見ない、神を見たくない生き方、この姿勢を持って以来、人類はあるべき所から外れてしまったというが、自己中心は人間にとって正に根本問題なのだ。

むろんわたしも自己中心の人間である。神を中心とし、神を見つめて生きていきたいと決意し、願ってはいるものの、しばしばその決意がうすれ、神を忘れる。

例えば、わたしは酒を飲んでからむ人間が大嫌いだ。が神を見つめて、少しでも人を愛したいと思っている時は、

(この人は、酒を飲まなければ、言いたいことも言えない気弱な性格なのだ。一生懸命生きているつもりなのに、誰も自分を認めてくれないと思って、不満で仕方がないのだ……)

などと、思いやる余裕がある。だが、こちらはおとなしくしているのに、いきなり、

「たかが新聞小説を書いているだけのくせに」

とか、

「あんたはそれでも小説家のつもりかね、文学をやっているつもりかね」

などと言われて、たちまち憤《いきどお》りを感ずることがある。そんな時は、わたしは神のほうを向いてはいない。自分がかわいいだけの人間になっていて、腹を立てるのだ。そ

して、共に立腹してくれない三浦を恨んだりする。つまり共犯者になってくれないことがおもしろくないのだ。

神に従って生きたい。信仰強くありたいとねがっていても、いつもこんなことをくり返す。それほど人間は、根強く自己中心で神を見たがらないものなのだ。

こんな弱い信仰ながら、それでもわたしは、キリストを信じ、神を信じているつもりである。

「三浦さんクリスチャンですって？　神を頼って生きるなんて、弱虫ですね。わたしは神になど頼りません。自分を頼って生きて行きます。信じられるのは、自分だけですよ。自分以外に何が信じられますか」

わたしは時々、こんなことを人様から言われる。ある時は面と向って、ある時は手紙で。こんな人は世に少なくない。

わたしは、自分を信じ、自分を頼れるという人の顔をつくづくと見る。それほどに、人間は「自分」というものを信じ得るだろうか。それほどに「自分」というものは頼り得るものだろうか。

真に頼り得る存在は、無限に力があり、真の愛を持ち、不変の存在でなければならないはずである。

わたしの知人に、娘時代から自分ほど賢く力ある者は少ないと信じていた人がいた。彼女は女子大を優秀な成績で卒業し、結婚した。やがて子供が生れた。彼女はその子を、抱きぐせをつけない、泣かさない、早くに大小便を知らせるようにと、数々の抱負を持って育てたが、子供は神経質でよく泣いた。あまり泣くと、つい抱いてしまう。抱きぐせはすぐついた。お寝小《ねしょ》のくせもあり、小学校に行ってもなおらなかった。体も弱かった。その上わがままでいうことをきかなかった。彼女はつくづくと述懐した。

「子供一人ぐらい、思いのままに育てられると思ったわ」

親は子を育てることが使命なのに、その使命すら充分に果せない、何と無力なのかと彼女は嘆いた。

「子供どころか、自分自身の短所さえ、なおす力を持っていないのよ、わたしたちって」

と言うと、彼女は今更のように、

「本当ね。自分のことさえ自分の思いどおりにならないのに、子供が思いどおりになるわけはないのね」

と言っていた。

全く、わたしも自分が無力だと思う。生来の欠点一つなかなか直せない。

一例をあげれば、わたしは整理整頓《せいとん》が下手である。脱いだものは脱ぎっ放し、本棚から出した本をもとに返すことは、めったにしない。三浦から「かっちらかしのお綾《あや》」という異名《いみよう》をもらっているほどである。一方三浦は、整理魔である。本棚から出した本を、すぐまた見る必要があっても、直ちにもとに戻す。「整理大臣」とわたしは時折彼を呼んでいるが、この整理大臣と十一年一つ屋根の下に暮して来ても、わたしはいささかも感化されていない。相変らず「かっちらかしのお綾」である。他の欠点においても同様で、到底克服する力がない。

頼れるという以上、それは強い存在でなければならない。しかし人間は弱いものである。

わたしは茶目っ気旺盛《おうせい》の人間で、時々人の手相を見てあげる。小説「氷点」の中にも、高木という医者が、友人の妻、辻口夏枝の手相を見る場面を書いた。

「そうだ、夏枝さんの手相を見てやろう」

高木は手を伸ばして夏枝の手をとった。

「えーと、この線が美人の相だ」

高木はまじめな顔で言った。

「いやですわ」

「まあまあ、待ちなさい。この線が結婚線だ。辻口と別れたほうがいいと出ている」

高木はちらりと夏枝を見て笑った。

わたしの手相の見方も、言ってみればこんなものだ。が、今まで、老いも若きも、男も女も、手相を見てあげると言うと、みんな素直に手を出した。見ていらないと断わった人は唯《ただ》の一人もいない。

「案外と浮気性ね」

と言うと、いたずらを見つけられたように頭をかいたり、

「金運があるのね」

と言えば、ぐいと膝《ひざ》をのり出してくる。わたしは茶目っ気で言うのだから、あまり不吉なことは言わない。が、もし、

「今年中に大病をする」

「事業は不振におちいりそうよ」

などと言ったら、かなりショックを受けるにちがいない。このように何の根拠もない言葉にでも、人は動揺する弱いものなのだ。

ある時、東京から客が見えた。北海道は初めてで、飛行機が恐ろしかったと言う。わたしは例の茶目っ気を出して言った。

「あなた何月生れですか」

「九月です」

「あら、九月生れの人は、高いところには強いんですって。絶対飛行機の墜落で死ぬことはないんですって。それどころか、機内で有力なルートがついたり、すてきな異性にあったりして、いいことがあるんですって。週刊誌に書いてあったわ」

　とたんに彼は晴々とした顔で、

「そうですか、そりゃあ帰りの飛行機が楽しみですね」

　と言った。

　今の週刊誌や月刊誌には、占いや姓名判断の類が実に多い。中には絶対欠かせない記事のように載せている日刊新聞もある。ということは、それだけ需要が多いということであろう。なぜそんなに、人々は占いの記事を読みたがるのか。つまり人間は弱い存在だからなのだ。

「この名前の人は、一見落ちついているようだが、案外そそっかしい。しかし根は正直で人に好かれる。余り出世は望めないが、人の倍努力すれば、思わぬ道がひらかれる」

そんなことを書いているのを見て、

「わたしって、根は正直で、人に好かれるらしいの。人の倍の努力をしたら、出世できるんですって」

などと、早速人に言ったりする。だが考えてみると、おかしな話である。

自分の性格は、何も姓名判断を見なくても、あわて者か、ものぐさかぐらいはわかるだろうし、人に好かれるか嫌われるか、わからないわけはない。人の倍も努力すれば、大ていの人は、今の自分よりも、もっともっとその道に上達するに決まっている。にもかかわらず、姓名判断や、占いによって、はじめて自己発見をしたかに思ってしまう。

元来が弱いわたしたちは、何となく占いを信じている。信じているから、少々の欠点をつかれても、案外素直に「そうかな」と受け入れる。そして、

「そそっかしい」

「怠け者だ」

などという託宣の前にかしこまるというわけだろう。

二

「不幸の手紙」というのが、この頃流行《はや》っているそうだ。わたしのところにも一、二通来た。すぐに屑《くず》かごに捨ててしまったが、

「一週間以内に出さなければ、不幸になる」

などと、根拠のない手紙に脅《おびや》かされて、あわてて手紙を書く人が、この世にはたくさんいる故《ゆえ》の流行なのだろう。

根拠のない言葉に脅かされる弱い人間だから、根拠のあることとなったら、どれほど脅かされるか想像もできない。

健康を誇っていた男が、次第に疲れ易《やす》くなり、遂《つい》に癌《がん》になった。健康な頃は、

「体の弱いのは、精神がたるんでいるからだ。俺のような人間には、病気がよりつきたくても、よりつくことができない」

と、威張っていた。ところが、一旦《いったん》病床に臥《ふ》すようになったら、彼は気が弱くなり、注射一本さされるのさえ恐ろしがった。その彼は、見舞客が妻にこう言うのを、襖越《ふすまご》しに聞いてしまった。

「奥さん、力を落さないでくださいよ。癌でも治った人はいるんですからね」

この一語で、彼はまさしく致命的なショックを受け、急激に病状が悪化して、あまりにも短時日に死んでしまった。

しかし、この人を誰が笑えるだろう。これを読んでいる何人の人が、癌と言われても取り乱さずにいられるだろう。わたしも、先月三浦が疲れたと言うので、病院に一緒に行った。医師は三浦の顔を見るなり、

「あ、すぐ入院してください。黄疸《おうだん》です。点滴をしなければ駄目です。血液をとって、肝臓を検査しましょう」

と言った。わたしは驚き、内心ギョッとした。つい先日、わたしの父方の親戚《しんせき》の一人が、黄疸になり、肝臓癌で死んだばかりだった。もしや三浦も!? と思っただけで、三日ほど仕事が手につかなかった。以前にも、三浦の胃にしこりがあると、医者がそっとわたしに告げ、頭を傾けた時も同じだった。

わたしたちの平静な心は、占い一つ、病気一つで破られ、動揺する。こんな弱い「自分」を、わたしは信じたり頼みにしたりはできない。

真に頼り得る、信じ得る対象は、強い上に本当の意味で賢くなければならない。しかしわたしたち人間は、一体どれほど賢いだろうか。

夫が酒に酔って遅く帰って来た時、どんな顔をして迎えればいいのか。

夫に愛人ができた時、どんな態度に出たらいいのか。

息子や娘が、きょうだいげんかをした時、どうするのが一番賢明か。

姑《しゅうとめ》と仲よく暮すには、一体どうすればいいのか。

自分に好きな男性が現われた時、どう処理したらいいのか。

意地悪い隣人と、どんなふうにつき合ったらいいのか。

これら日常生活に起る問題にすら、わたしたちは賢明に対処することはむずかしい。いわば吾身《わがみ》一つの出来ごとでさえ、一人でテキパキ処理できるほど、わたしたちは賢くはないのである。

だから、身の上相談は今や花ざかりである。いわゆる人生相談から、進学相談、セックス相談まであるらしい。わたしのような愚かな者のところにでも、夫の浮気、恋人の変心をはじめ、就職問題、職場での悩みまで、毎日のように相談の手紙が来る。中には、遠い本州から、長距離電話をかけて来られる方さえある。

こんなに簡単に途方にくれ、人に相談しなければならぬ「自分」を、わたしは信頼することはできない。

また、真に信じ頼り得る対象は、不変のものでなければならない。わたしたち人間は、不変のものであろうか。人間の心ほど移ろいやすいものはない。それは、わたしたちが日常身に沁《し》みて感ずるところではないか。

去年の今頃は、あの人が好きだったと思いながら、新たな恋人と今散歩しているという経験をしたことがないだろうか。また反対に、去年はあんなに愛してくれた彼に、今年は新しい恋人ができてしまったという経験はないだろうか。

「ぼくは必ず君を幸福にしてみせるよ」

「わたしは一生、愛しつづけます」

と、古今東西の恋人たちは誓い合ってきた。他の人は変っても、自分の愛だけは絶対に変らない。そう信じて、たやすく誓うのだが、聖書に、

「誓ってはならない」

と、書かれてあるとおり、わたしたち変り易い人間は、そう簡単に誓うことはできないのだ。

何とか変ることなく結婚しても、結婚後は、別人のようにいがみ合う夫婦となっているこ ともある。二人きりの時は仲がよくても、子供が一人できると妻も変り、夫も変る。そこに小姑《こじゅうと》が同居したり、姑が同居したりすると、更に変る。だから仇《かたき》同志が結婚したかのような夫婦も出現するわけだろう。夫婦ばかりではない。親子にしても、

友人にしても同様だ。

わたしの入院していた病院に、淋《さび》しそうな感じの看護婦がいた。目がパッチリと色白の形容どおり、黒い瞳《ひとみ》の整った顔立だったが、妙に淋しい感じで、わたしはコスモスの花のようだと思っていた。満州生れの彼女は、敗戦の時十三歳で北海道に引きあげて来た。その時、彼女の末の弟はまだ二歳だった。その二歳の弟を、母親は満州に捨てて来たのである。彼女と、次の弟と妹は母と共に日本に無事に引きあげた。

おぶっている末の子をそっとおろして、母は捨てて来た。その姿を見た彼女のショックは消えなかった。信頼しきって、母の背に眠っている僅《わず》か二歳の子が、捨て去られた。それが恐ろしかった。もし自分が二歳であったなら、母はこの自分を満州の野に捨てたにちがいない。そう思うと、彼女は母という人間が恐ろしくてならなかったと、わたしは聞かされて、彼女の淋しさが顔に出ている原因がわかった。

当時、そんな親はたくさんいた。自分と他の子が助かるためには、あの敗戦の混乱の中では、そうするより仕方のなかった辛《つら》さを、十三歳の少女だった彼女にはわからなかった。もし、戦争がなかったなら、その二歳の男の子は大事に育てられたにちがいない。どこに子を捨てたい親があるだろう。だが、一旦平和な生活が一変すると、わたしたちは吾子をも捨てる恐ろしい人間に変り得るのだ。

平和なはずの現代でさえ、子を捨てる親、子を殺す親の記事が、時折新聞を賑《にぎ》わす。吾々人間は、何ともろい存在なのであろう。

ハンセン氏病の人の歌を見ると、悲しい歌が多い。「何十年、遂に一度も妻は見舞に来ない」とか「癩《らい》の自分を捨てた夫と、故郷の川岸を歩いた夢を見た」とか、「ふるさとの妻は、三人の子の母となるという、いかなる人と暮しているのだろう」というような内容の歌を見ると、夫婦というものの絆《きずな》もまた、何ともろいものかと思わずにはいられない。

いかに一生愛しつづけようと思っても、わたしたちは変りやすいのだ。ハンセン氏病でなくても、リューマチの妻を捨て、精神病の夫を捨て……というように、この世で最も慰め力づけてやらねばならぬ伴侶《はんりょ》が、一番慰めを必要とする時に離れ去ってしまう。

こんなにも変り易い人間なのだ。どうしてこんなに変り易い「自分」を信じ頼ることができるというのだろう。

いつか、芝居を見ていたら、一人の役者が、

「よらば大樹の蔭《かげ》」

と言って、大きな柳の木によりかかった。するとその大樹が、ぐらりと揺れてひっ

くり返り、役者も共にひっくり返った。観客は爆笑した。

これはドタバタ喜劇だから、脚本通り大樹が倒れてよかったわけだが、わたしたちの人生において、力も賢さもない変り易い「自分」などに頼りきっていると、こんなことになりかねない。

まして、この弱い人間の彫り刻んだ石像や木像、あるいは狐狸《こり》、馬の頭の類が、信頼の対象になり得るはずはない。

とにかく、人間は弱い者なのだ。

「神を頼るなんて、三浦さんは弱い人ですね」

正にその言葉の通りである。わたしは確かに弱い。自分の弱さ、みにくさをよく知っている。いや、よく知っているなどと言えるほど賢くもない。

キリストの十二弟子の中に、ペテロという人がいる。単純率直な熱血漢で、わたしはこのペテロが弟子の中で一番好きだ。

イエス・キリストが十字架にかけられる前夜、ペテロは胸を張ってイエスに言った。

「たとい他の弟子たちがあなたを捨て去っても、わたしはあなたを捨てません。獄にはもとより、死んでもご一緒に参ります」

イエスは静かにペテロに言われた。

「ペテロよ、あなたは今日鶏が鳴くまでに、三度わたしを知らないと言うであろう」

イエスはその夜、捕われの身となった。弟子たちは逃げ、ペテロは群衆と共に、恐る恐る離れた所からイエスを見守っていた。彼は他の人から、

「お前も仲間だな」

と言われた。

「わたしはイエスという人など知らない」

と言った。更に他の人からも、同じようなことを言われたが、ペテロは捕縛されるのが恐ろしくて、

「いや、知らない」

と言い張った。三度目にまた、

「お前は確かにイエスと一緒にいた男だ」

と言ったが、

「あなたが何を言ってるのか、わたしにはわからない」

と、あくまでもしらをきった。その時鶏が鳴いた。イエスはふりむいて、じっとペテロを見つめられた。ペテロは、

「死に至るまで、お伴します」

と高言しながら、イエスの言われた通り、鶏の鳴くまでに、三度もイエスを知らないと言った自分に気づき、外に出て激しく泣いた、と聖書に書かれている。キリストの高弟のペテロにして、こうも弱く、心が変ったのである。聖書の記者は、殊更《ことさら》にペテロの不名誉を暴《あば》いたのではない。これまた人間が、いかに弱い存在であるかを示したものと思う。

わたしは人間の弱さを、少しく強調して書いて来たが、これは決して強調し過ぎることではない。人間の弱さは、人間がいつかは死ぬ者であるということ以上に、踏まえられ、認められなければならない。

むろん、この人間の弱さに愛想を尽かし、絶望したらそれでいいというのではない。問題は、この弱い人間にとって真に生き得る道があるか、真に信じ頼るべきものがあるかということなのだ。

使徒ペテロは、キリストの死後別人のようになり、投獄され、鞭《むち》打たれ、キリストを伝えるなと言われても、

「人間に従うよりは、神に従うべきである」

と、堂々と反論した。後に彼は逆さはりつけになって殉教した。

わたしたちは確かに弱い。しかし、神によって強くされ得る望みはひらかれている

のだ。

三

昭和四十年頃であったろうか、一見三十歳代（実は五十を過ぎておられたのだが）と思われる青年が訪ねて来られた。

この人こそは、実は「わがパイオニア奮戦記」の著者で、キリスト教界に名のある信者、引田一郎さんであった。

引田さんは偉大な人だ。どんなに偉大かは、その著「わがパイオニア奮戦記」をお読みくださるとわかるが、その序文のわたしの言葉を少し引用することによって、一端をお伝えしたい。

〈この広い北海道中の、家々一軒残らず、キリスト伝道のトラクトを徒歩で配った人、それが引田一郎さんだ。引田さんは六年間に実に三万キロ歩かれたという。確か地球の一周は四万キロのはずだから、いかに途方もない距離であるかがわかる。

「山奥の家に行く時は、熊《くま》にやるおにぎりも用意して行くんです」

引田さんは、いつか、わたしにこう言って笑った。一枚のトラクトを配るために、引田さんは何キロも、何十キロもテクテクと歩く。カーを走らせるのではない。ある時は零下三十二度の僻村《へきそん》を、ある時は三十度を越える暑熱の街を、そしてある時は人も木も埋めつくす吹雪の野を、引田さんは讃美歌《さんびか》をうたいながら、トラクトを配るために歩きつづけたのだ。しかも、引田さんは不治と言われる重症のカリエスを十二年も病み、その骨から溢《あふ》れるような膿《うみ》を排出した体の人なのである。

北大を出、高校の教師までなさったインテリだが、その顔には、言いようもない謙《けん》遜《そん》な優しさが滲《にじ》み出ていて、対《むか》いあっているだけで、こちらの心を慰めてくれる。

この引田さんに、ある時わたしは尋ねた。

「あなたの尊敬している信者を教えてください」

彼は即座に、川口市に住む矢部登代子さんの名をあげられた。

その後上京の機会に、三浦と二人で矢部さんを訪ねた。驚いたことに、彼女は十歳から三十年間、ただの一度も立ったことのない、関節を患《わずら》う病人であった。しかしその顔は晴々と明るく輝いていた。

長い間、世話をしてくださったお母さんが、高血圧になられたということで、彼女のベッドのそばには水道が引かれていた。彼女は腹這《はらばい》になって米をとぎ、炊飯器で一人ご飯を炊《た》く。枕《まくら》もとに電話もあり、マイクがあった。十歳の時以来、立ったことのない登代子さんだが、キリストを信ずるようになってから、近所の子供たちを集めて日曜学校を開いた。やがておとなの集会も持ち、彼女に導かれて受洗した数は三十名を超えるという。彼女の病室はキリスト教集会の部屋だったのだ。

今は、新築された二階に病室が移り、人々はもとの病室に集まって、マイクを通して語る矢部さんの話を聞くとのことだった。彼女の教え子だという大学生が、記念写真を撮りに来ていたが、わたしは何ともいえぬ感動を持って、その青年を眺めた。

もし、矢部さんに信仰がなかったとしたら、彼女は果して今日の矢部さんであっただろうか。多分自殺を図り、（事実、入院前の彼女は死を考えていたという）自暴自棄になり、毎日愚痴を言い、暗い一生を送らねばならなかったであろう。

この立つこともできない彼女のもとに、噂《うわさ》を聞いた人々は全国から訪ねて来る。そして、その美しく明るい笑顔に励まされ、元気づけられて帰って行くのだ。たとえ三十年間臥《ね》たっきりでも、人間はまたかくも大きな働きをなし得るものなのだ。

引田さんと言い、この矢部さんと言い、「神を信ずるなんて弱虫だ」などと、もはや誰が言い得よう。

自由の意義

一

「キリスト信者になってしまったら、窮屈でしょう。わたしは自由に生きることができなくなるから、信仰はご免です」

という人が、たくさんいる。

「自由に生きる」とは一体何なのか。わたしたちは、本当に「自由」に生きているのか。そんなことを少し考えてみたいと思う。

既に幾度か書いたように、わたしには長いこと、ギプスベッドに絶対安静を強いられていた日々があった。ギプスベッドは、石膏《せっこう》の粉の溶液の中に繃帯《ほうたい》を浸し、それをうつ伏せにした患者の背中から腰にかけて二十巻ほどのせ、乾かして作る。すなわち体の形のままにできた石のように堅いベッドである。むろん、寝返りをうつことなどはできない。体は固定されたままである。食事は胸の上に膳《ぜん》を置き、手鏡でそれをうつしながらとる。洗面も排便も、読書も書くことも、一切が仰臥《ぎょうが》のままである。

「さぞ、不自由でしょうね」

わたしは満七年、そのベッドに臥《ね》ていたが、その間何百回となく、人々にそう言われた。たしかにそれは不自由だった。

しかし、体の不自由な人々は、ギプスベッドに臥ている人ばかりではない。世には手の不自由な人、足の不自由な人、目の不自由な人、口の不自由な人、耳の不自由な人と、実に色々な形で不自由な人がたくさんいる。また、内臓の病気で、塩を摂取できない人や、糖分を禁止されている人も、やはり不自由な人であろう。

だが、この肉体の不自由なことは、人間として断じて恥ずべきことではない。人間として恥ずべき不自由はほかにある。

わたしは戦時中、×印や○印のたくさんついた小説や本をしばしば読んだ。例えば、

〈彼と彼女は、公園の暗い木立の中に入って行った。ふいに彼は立ちどまって、彼女の××××××××。彼女の髪が匂《にお》った。彼は再び、××××××××〉

というような小説や、

「資本主義は○○○○○○○だから、人民は常に○○○○○○○だということになる」

というような文章である。

前者は性の描写が伏せ字になっており、後者は思想の表現が伏せ字になっているのだ。今の時代は、性の描写はうんざりするほど露骨になり、思想の表現も自由である。

わたしは、戦前から戦時中にかけて、よく映画を見に行ったが、接吻《せっぷん》のシーンを見たことがないような気がする。男女が近よって抱擁したかと思うと、よりそった二人の足だけが写されて、その足を見ながら、観客は、

（ああ、今、接吻をしているのだ）

と、想像していた。

今はヌードの出て来ない映画など、めったにないらしいが、それでも、戦時中の統制や弾圧のあった時代に帰るよりは、ずっといいのだ。敗戦前は、戦争はご免だと言っただけで、警察にひっぱられた。マルクスの資本論を持っているだけで拷問《ごうもん》された者もある。

その点、今は自由ない時代になった。ところでこの自由な時代に、わたしたちは、本当に自由に生きているだろうか。わたしたちは、あまりにも自由な時代の中で、自由という言葉の本来の意味を見失って生きているのではないだろうか。

わたしの知っている男にこういう男がいる。彼は一つの店を持っているのだが、仕

事はしたい時にはするが、したくない時には店員にまかせたままである。酒は飲みたければ朝からでも飲み、旅行したい時にはふらっと汽車に乗る。外泊したい時には外泊し、家には何の連絡もしない。その妻が苦情を言うと、

「俺は自由が好きなのだ。一々俺のすることに文句を言うな」

と、どなりつける。

この男は、本当に自由なのだろうか。彼は、初歩的な意味の自由という言葉さえ知らない。まことに不自由な人間だとわたしは思う。

と、簡単に言うことはできても、わたしたちもまた、この男と似た程度でしか、自由という語を使っていないのではないだろうか。

ある娘が、妻のある男と恋仲になった。その娘の親が忠告すると、彼女は言った。

「誰を好きになろうと、わたしの自由でしょ。放っておいてよ」

また、ある息子は、月給三万八千円ほどだが、そのほとんどは飲酒代に消えてしまう。母親が叱《しか》ったら、彼はうそぶいた。

「自分の働いた金を、何に使おうと俺の自由じゃないか」

わたしたち人間は、こんな低い意味での、いや、まちがった「自由」をそんなに欲しているのだろうか。わたしたちの「自由」は守られねばならない。しかし、こんな

「自由」は守られねばならぬ「自由」なのだろうか。

二千年の昔、既に聖書にはこう書いてある。

「自由人にふさわしく行動しなさい。ただし、自由をば悪を行う口実として用いず、神の僕《しもべ》にふさわしく行動しなさい」

よく言われる言葉だが、自由と放縦とはちがう。わがまま勝手とはちがう。人間の持つべき自由は、決して前述のような無頼なものではない。

さて、わたしたちは、ここまで考えて来て、自分だけは自由人であると、確信できるであろうか。残念ながら、真の自由人はそうわたしたちの中にはいないようである。先に、手、足、目、耳、口の不自由な人がいると書いたが、わたしたちこそ実はまことに手も足も、目も耳も口も不自由な人間なのである。

先《ま》ず目から考えてみよう。

わたしは「積木の箱」という小説の中で、次のようなことを書いている。みどりという高校生の少女が、弟の受持教師の杉浦悠二を当直の夜、学校に訪ねた時の会話である。

〈「ねえ、先生。人間の体の中で、一番罪深い所ってどこかしら」

悠二はふっと顔を赤らめた。

「さあ……」

口ごもる悠二を見て、みどりは白いのどを見せて笑った。そのなめらかなのどのふくらみが妙になまめいて見えた。

「わたしはね、目だと思うのよ」

「目？　なるほどね」

いま、みどりの白いのどに目をやった自分のことを思いながら、悠二は苦笑した。

「あたし時々、自分の目からもし何かがとび出すとしたら、それでじゅうぶん人を殺せると思うことがあるの。よく突き刺すような視線というでしょう？」

言われてみれば、たしかに目ほど罪ふかい所はないようである。ちょっとした一べつでも、それが氷のようにひややかである時、それによって、どれほど人は絶望するかわからない。（中略）

「……男の人ときたら、女よりもっと悪くってよ。バスの中で、あたしいつも、そしらぬ顔をして見ててやるんだけれど、どうして男の人って、あんなに女の子の足に興味があるんでしょうね、（中略）ひざ小僧のあたりに目をやらない男はないわ」〉

わたしたちの目は、以上の引用を見てもわかるとおり、まことに不自由なものではないか。人をそんな目で見てはいけないと思いつつ、思わず突き刺すような目で見たり、女の子の足に目をやるまいとしても、ついちらりちらりと目が行ったりする。なかなか自分の思いどおりに目は動かないものだ。

姑《しゆうとめ》に小言を言われた時、他人に悪口を言われた時、わたしたちは笑おうとしても笑えない。顔の筋肉は笑っているように見えても、目は決して笑えない。そんなことで不機嫌になるまい、冷静でいようといくら自分が思っても、目は笑ってくれないのだ。

わたしも元来目つきが悪い。ぎょろりとした目で人を見ているらしいのだ。自分としては好意に溢《あふ》れたつもりの時でさえ、不愛想に人を見ているらしい。

また、よいものを見ようとしても、なかなかそうは行かない。机の上に週刊誌と教科書が並んでいる場合、学生たちは、先ずどちらを見るだろう。わたしたちの目は、わたしたちの思いどおりにはならないものなのだ。もし一日でも、自分の目を自由に使える人間がいるとしたら、それはもう大した人物と言えるだろう。

次に口。

これもまたまことに不自由なものだ。「ハイ」という言葉すら、わたしたちは満足

に言えない口を持っている。キリストは、

「然《しか》りは然り、否《いな》は否と言いなさい」

と教えているが、「ハイ」と「イイエ」をハッキリ言えとすすめたものであろう。

夫に対して、わたしたちはどれほどすなおに「ハイ」と答えているだろうか。

夫族にしても同じである。「イイエ」という言葉が言えないばかりに、

「どうです、今日帰りに一杯飲みに行きませんか」

という言葉に誘われて、つい午前様になったりする。

また、わたしたちは、自分が悪かったと思っても、なかなか、

「ごめんなさいね」

と言うことができない。この言葉一つでも、すらすらと思いのままに出すことができたら、人生の達人であろう。

ある時、国鉄の列車の中で、一人の人が暴力団員に因縁をつけられ、ゆすられ、殴られていた。だが、その列車の同じ箱にいる男たちは、誰一人、その暴力団の男に、

「よしなさい」

とは言えなかったという。これぞ正に言う気（勇気）のない話である。

「はい」「いいえ」「ありがとう」「ごめんなさい」「すみません」を、日常、自由自在

に使える人間が果しているであろうか。いるとしても甚《はなは》だ稀《まれ》であるにちがいない。それほどわたしたちの口は不自由にできているのである。そのくせ、酒は節しようとしても口に入り過ぎ、食べ過ぎまいとしても、大食してしまうという次第なのだ。

新約聖書のヤコブの手紙三章を引いてみよう。

「もし、言葉の上であやまちのない人があれば、そういう人は、全身をも制御することのできる完全な人である。舌を制し得る人は、ひとりもいない。それは制しにくい悪であって、死の毒に満ちている」

全くわたしたちは、「あっ、しまった」と、失言を悔やむことがどれほど多いことだろう。

(あんなことを言わなければよかった)

とくよくよ思いなやむことがどれほど多いだろう。舌先三寸で人を殺すという言葉がある。わたしたちの口は、今まで、どれほど多くの人を傷つけて来たことか。口が禍《わざわい》して大臣をやめる放言政治家がよくあるが、口が禍して、離婚になったり、職を変えた人もこの世にはどれほどあるかわからない。誰もが不自由な口を持っている証拠であろう。

手

手もまた不自由なること、同様である。夫を見送って、さて洗濯をしようと思っていても、ついテレビのスイッチに手がのびて半日を、つぶしてしまったという経験は、そう珍らしいことではないかも知れない。

この「自由」について四国のある地方で講演したところ、男子高校生が講演後、楽屋に来た。

「ぼくは高校生ですがタバコをのむのです。いけない、いけないと思っても、すぐタバコに手がのびるのです。どうか、このぼくのために祈ってください」

彼の真剣な態度に打たれて、わたしは祈った。

わたしが雑貨屋をしている時、ある主婦が万引をした。十五円ぐらいのソーセージなのだ。わたしは黙っていたが、その後いく度も同じことをしているらしく、それを見た三浦の姪《めい》が嘆いていた。一家の立派な主婦なのに、彼女の手はついつい動いてしまったのだろう。この人の手は何とも不自由な手であったにちがいない。

口よりも手が早い人間がいる。ついカッとして殴るという人間である。いつかこんな事件があった。

まだ四、五歳の男の子が、父親の腕時計を、過《あやま》ってこわしてしまった。すると父親は怒ってその子を殴った。打ち所が悪かったのか、子供は死んでしまった。その父親にしても、吾が子を殺したほど憎かったわけではないと思う。が、自制心を失って、力一杯殴りつけてしまったのだろう。まさか、自分の子は殺そうと生かそうと、自由だと思って殺したわけではあるまい。

足

わたしは、七年間ほとんど立つことのない療養生活をした。その後、自分の足で立ち、歩いてトイレに行った時、わたしは何とも言えない大きな喜びを感じた。そして思った。

(もし、病気が治って、どこへでも行けるようになったら、先ず教会へ行こう。そして、できるだけ病人の見舞をしよう)

だが、いざ治ってみると、教会には毎日曜必ず行くようにはなったが、見舞にはなかなか行けない。今もつとめて病人の見舞を心がけているが、思ったほどには廻れない。疲れると、やはり自分の家で臥ていたい思いにかられるのだ。

もう五十を過ぎた男が、

「今日こそ、まっすぐに家に帰ろうと思うが、ついバーに行ったり、女の所によったりして、思うようにいかない」

と述懐したことがある。わたしたちの足もまた、わたしたちの意志どおりにはなかなか歩いてくれないのである。

以上、目、口、手、足というように分けて書いて来たが、結局は、わたしたちは如何《い》に不自由な人間ではないか、ということなのだ。わたしたちは、本当に不自由な人間《か》なのだ。


店の仕事もろくにせず、酒を飲みたい時に飲み、外泊したい時に外泊して、

「俺は自由が好きだ」

と言う男のことを書いたが、これぞまことに不自由な人間なのだ。

近頃、フリーセックスとかいって、性の自由を人々は謳歌《おうか》している。が、何がフリーなものであろう。これは、セックスに異常なまでに溺《おぼ》れた弱い人間の姿だ。しばりつけられている姿だ。自由なつもりで、セックスの奴隷《どれい》になっているのだ。セックスにふり廻されている奴隷。奴隷とは居住の自由もなく、好きな職に就くこともできぬ下僕である。セックスにしばりつけられ、セックスからのがれることのできない奴隷が、フリーセックスなどというのは、まことに滑稽《こっけい》である。

罪の問題の章で、わたしはダビデ王のことを書いた。自分の部下ウリヤの妻バテシバに迷って罪を犯した王の話である。ダビデ王もまた、女に執着し、セックスにしばられた、不自由な男の一人にすぎなかった。これと対照的な事件が旧約聖書に出て来る。

二

ヨセフという人の話である。

〈ヨセフはまだ独身で、大変な美男だった。が、彼は忠実であったので、その主人は一切の支配を彼にまかせていた。

ところがある日、主人の妻が、このヨセフを誘惑して言った。

「わたしと寝ましょう」

ヨセフは驚ろいて、激しく拒んだ。

「奥様。御主人様は、わたしにすべての支配をまかせ、その持物を安心して、わたしにおゆだね下さっていられます。この家の中では、わたしが支配人として重んぜられております。また御主人は、あなた様を除いては、何でも、わたしの思いのままにしてよろしい、自由にしてよろしいとおっしゃって下さっておられます。それほどに御信用下さっておりますのに、どうして御主人の妻であられるあなたと寝ることができましょう。そんな大きな悪を行って、神に罪を犯すことが、できましょうか」

だが、彼女は毎日のようにヨセフに言いよった。依然としてヨセフは聞きいれず、彼女を拒んだ。そして、なるべく、彼女と二人になることも避けた。

ところがある日、ヨセフが用があって主人の家に入った時、彼女のほか家人が一人もそこにいなかった。彼女はヨセフの着物を捕えて、

「今日こそ、わたしを抱いて寝なさい」

と命令したが、ヨセフはふりきって外へ逃げた。しかし、彼女が手を放さなかったので、着物は彼女の手の中に残った。

恥をかかされた彼女は、直《ただ》ちに家人を呼び、ヨセフの着物を見せて、

「ヨセフがわたしと寝ようとして、わたしの所に入って来たのです。それで大声で叫んだのです。彼はわたしの声に驚ろいて、これ、このとおり、着物をおいて逃げました」

と告げた。これを聞いた主人は激しく怒って、ヨセフを獄屋に投げいれてしまった〉

わたしは幾度この場面を読んでも、ヨセフの人格に感動する。わたしたちの周囲に、これほど女性から自由な男性はいるだろうか。わたしたちの夫にしても、兄弟にしても、女に言いよられて、その手に陥らない男性は少ないのではないだろうか。

このヨセフにも、主人の妻とたわむれる自由があった。しかし、彼には拒絶する自由もあった。然《しか》して、彼は拒絶を選んだ。

人間の持つべき自由とは、かかる自由ではないだろうか。人間の深い所まで、自由であるということは、こういうことなのだ。ヨセフは全人格が自由であった。

わたしたちは、自分の金を自分のために使う自由もあるが、人のために使う自由もある。人が困っているのを、見て見ないふりをする自由もあるが、積極的に助ける自由もある。人の過失をゆるさない自由もあるが、許すという自由もある。

一日を怠惰に過す自由もあるが、勤勉に過す自由もある。妻子のある人を恋する自由もあるが、恋しない自由もある。夫を裏切る自由もあるが、裏切らない自由もある。「人生とは選択である」という言葉がある。わたしたちの生活は、毎日が、かかる自由の中にあり、そのいずれを選ぶかは、全くわたしたちの自由なのだ。人間の持つべき自由とは、そのいずれを正しく選ぶかというところにあるのだろう。

性欲からも、金銭欲からも、名誉欲からも、全く自由でなければ、わたしたちは忽《たちま》ち、恋のとりこ、肉欲のとりこ、金銭のとりこ、名誉欲のとりことなってしまうにちがいない。とりことは、捕虜のことだ。捕虜には自由がないこと無論である。

ところで、わたしたちは、毎日いずれかの道を選びながら、辛うじて大過なく過しているわけだが、考えれば考えるほど、色々なことから自由になっていないことを思わせられる。

「自由な人とは、いつも死の覚悟のできている人である」 ディオゲネス

という言葉がある。とは言っても、自殺する人は、死の覚悟ができているから自由人であるということにはならない。自殺者は、死に魅せられ、死に捉《とら》われた人であって、決して死から自由な人とは言えない。

わたしたち人間は、たとえ物欲がなく、名誉欲や出世欲にとらわれなくとも、生への執着は、如何《いかん》ともしがたいほど強いのではないだろうか。つまり、死からは、なかなか自由になれないものではないだろうか。

わたしなど、甚だ命根性のきたない人間で、死は恐ろしい。曾《かつ》ては、生への意欲を失った虚無的な時代があって、自殺を思った日もあった。

他の面では、割合、欲望の少ない人間のつもりだが、事、死に関しては、なかなか自由にはなれない。時折、

（わたしは何の病気で死ぬのだろう）

と考えることがある。事故死かも知れないと思ったりもする。大正十一年以前には、この世に自分は存在しなかったのだから、今後、この世に自分のいない時が来ても当然じゃないかと、自分に言い聞かせもする。

三浦などは、

「いいじゃないか、死ぬということは。死んだら、罪を犯す心配もないし、天国に入らせて下さるという約束はあるし。それに、天国では、もう死ぬこともないんだからね」

と、輝やいた顔で、永生の希望を語る。わたしは、とてもそういうところには至らない。

いま、グラグラッと強い地震が来たら、どんなに自分はあわてるだろうとか、死を宣告されたら、がっくり来るのではないかとか、思って甲斐《かい》ないことを、よく考える。

本当の自由人は、死からも自由でなければならないのだ。わたしたちの所属する旭川六条教会に、明治時代、長野政雄さんという信者がいた。

この人は、旭川鉄道運輸事務所の庶務主任で、日曜日には教会学校の校長として、奉仕していられた。実に信仰の篤《あつ》い方で、感動的なエピソードの沢山ある方である。

この人は、毎年、元日には遺言状を書かれたそうである。そして、その遺言状を、肌身離さず、常持しておられたという。その遺言状を、ここに記してみたい。

「一、余は感謝して凡《すべ》てを神に捧《ささ》ぐ。

一、余が大罪は、イエス君《きみ》に贖《あがな》はれたり。諸兄姉よ、余の罪の大小となく凡てを免《ゆる》されんことを。余は、諸兄姉が余の永眠によりて天父に近づき、感謝の真義を味ははれんことを祈る。

一、母や親族を待たずして、二十四時間を経ば葬《ほうむ》られたし。

一、吾家の歴史（日記帳）その他余が筆記せしもの及信書（葉書共）は之《これ》を焼棄のこと。

一、火葬となし可及的虚礼の儀を廃し、之に対する時間と費用とは最も経済的たるを要す。湯灌《ゆかん》の如《ごと》き無益なり、廃すべし、履歴の朗読、儀式的所感の如き之を廃すること。

一、苦楽生死、均《ひと》しく感謝。

余が永眠せし時は、恐縮ながら、ここに認《したた》めある通り、宜《よろ》しく願上候《そうろう》

頓首《とんしゅ》」

この遺書を見ると、長野さんが、最も言いたかったのは、葬儀などの形式的な面は、

なるべく簡略にし、それよりも神への感謝と自分の罪のゆるしと自分の死によって、神に近づいてほしいと言う、いわば、吾が身のことではなく、神のことだった。

もし、わたしたちが、遺書を書くとしたら、どんな遺書を書くか。そう考えながら一行一行を味わうと、この遺書の重味がわかるような気がする。

明治四十二年二月二十八日、長野さんが名寄《なよろ》に出張した帰途、その乗っている車両が塩狩峠で突然、分離逆走した。連結器の故障であった。乗客は忽《たちま》ち色を失い、周章狼狽《ろうばい》した。転覆事故を恐れたのである。

その時、長野さんは一瞬手を合わせて祈ったかと思うと、直に凍りついたデッキに飛び出し、ハンドブレーキを廻して汽車を徐行させた。が、自ら体を以《もつ》て歯どめになろうとしたのか、線路上に飛び降り、列車は長野さんの体に乗って完全に停止、乗客全員の命は無事助かった。長野さんは、このときまだ三十歳の独身青年であった。

この事件は、当時の旭川、札幌の人々を奮起させ、長野さんの写真と、常持していた遺書は絵はがきとなって売り出された。長野さんはわたしの小説、「塩狩峠」の主人公永野信夫のモデルである。

この長野さんこそ、真に死からも解放された自由人と言えるのではないだろうか。彼には線路に飛び降りる自由もあったが、飛び降りない自由も持っていた筈《はず》だった。

が、長野さんは飛び降りたのである。これこそ、死からの自由であり、人間の持つべき自由の極致でなくて何であろう。

「真理はあなたがたに自由を得させるであろう」

と、聖書には書いてある。わたしたちは心をひそめて、自分をみつめてみよう。わたしは本当に自由な人間であるかどうか。人間として持つべき自由を持っているか否《いな》か。その時に、わたしたちは、自分がいかに不自由な人間であるかを、謙遜《けんそん》に知ることができるにちがいない。自分が不自由な人間だと率直に認めた時、わたしたちは、真の自由への道を歩みはじめているといってよいのかも知れない。

愛のさまざま

一

曽野《その》綾子さんの「誰のために愛するか」という本がベストセラーをつづけている。愛と死はわたしたち人間にとって永遠の課題であるにちがいない。が、正面きって、

「愛とは何か」

と問われたら、わたしたちは一体、何と言って答えたらいいであろう。

わたしが若い頃、わたしのような者にもあなたを愛すると言ってくれた男性が何人か現われたものだ。しかし、

「愛するって、どういうことなの」

と尋ねた時、返って来た言葉は実にまちまちだった。ある人は、

「好きなのだ」

と言い、ある人は、

「結婚したいのだ」

と言い、ある人は、

「わからない。ただ、いつも一緒にいたいのだ」

と言った。若かったわたしは生意気にも、わからないと言った男性に、こう言った。

「愛するということがわからなくて、どうして愛すると言えるの」

だが、今考えてみると、わからないという言葉は、含みのある、真実な言葉のような気もする。よく考えてみたら、わからないという解明の困難な問題を含んでいるのが「愛」であろう。

わたしの小説「氷点」の中に、昭和二十九年九月の洞爺丸《とうやまる》事件が書かれてある。この洞爺丸が、函館《はこだて》の七重浜に転覆した時、救命具が足りなかった。この時、洞爺丸に乗っていた二人の外人宣教師は、自分の救命具を、二人の日本青年男女に、それぞれゆずったのである。

「今の日本に、若いあなたたちこそ必要なのだ」

と、宣教師は言ったそうである。そして、この二人の宣教師は、異郷の海でその最《さい》期《ご》を遂げたのである。一人は札幌、一人は帯広に住んでいた宣教師たちであった。

嵐《あらし》の中で、自分の乗っている船が転覆した時、果して、わたしたちは自分のつけている救命具を他の人にゆずるという、犠牲的行為をなすことができるだろうか。みんなが必死の時なのだ。一旦《いったん》身につけた救命具を、わざわざひもをほどいてやることは、誰も強いはしない。たとえやらなくても、誰も非難などはしない。誰もが生きたいのだ。他人のことなど思いやる余裕もない時なのだ。

そんな緊急の時に、この二人の外人宣教師は、見も知らぬ、行きずりの他国の若者に、自分の命を救うべき、救命具をゆずったのである。誰にも命ぜられず、強いられもしなかったのに。

わたしは前章で、自由という観点から、車輪の下敷になって乗客の命を救った長野政雄氏にふれたが、長野氏と言い、前述の宣教師の行為と言い、最も大切な命を人に与えた例である。

愛するとは何か。即ちこの最も大切な自分の命を人に与えることこそ、愛すると言えるのではないか。

「人、その友のために命を捨つる、これより大いなる愛はなし」

と聖書にも書かれてある。

「愛」とは、人のために命を捨てるほどの、きびしさを持つものなのだ。これを、

「愛」の基準と定めて、わたしたちは、わたしたちの「愛」と思っているものを、今一度検討してみる必要があるような気がする。

先《ま》ず男女の愛を考えてみよう。

わたしの知人の息子さんが、ある美しい女性と恋仲になった。その女性はしかし、相手の両親の気に入らなかった。服装の派手なのが、不安だったらしい。

ある夜、この息子さんが恋人とドライブした。多分二人は、車の中で甘いささやきを交していたにちがいない。そこは街の灯が遠く見える丘の上だった。突如、二人の車のドアをあけた者がいた。三人組のチンピラだった。この息子さんは、どこをどうやって逃げたか、とにかく恋人を放り出して、一目散に丘の下に逃げてしまったのである。

彼はそれ以来、少しくノイローゼになった。自分は、心から彼女を愛していると思っていた。結婚したいと真剣に考えていたし、彼女のためには命もいらないとさえ思いつめていた。そして、その純粋な自分の思いに、大きな喜びと生き甲斐《がい》を感じていた。

ところが、恋を語っている最中にチンピラが現われ、刃物をちらつかせた途端、彼女を置きざりにして、命からがら逃げてしまったのである。

「こんな不真実な、卑怯《ひきょう》な自分だとは思わなかった」

彼は口惜《くや》しがり、自己嫌悪《けんお》にかられたが、後のまつりである。無論、彼の恋は破れてしまった。

が、果して、わたしたちはこの青年を、卑怯者と笑い、不真実と責めることができるだろうか。彼は何事もない時には、確かに相手の女性に命をやってもよいと思うほどに、愛していたつもりだった。それは、決して嘘《うそ》ではなく、真実な感情だったのだ。しかし幸か不幸か、彼のその思いが試される時が来た。彼はそこで、はからずも自分の愛のもろさを見せつけられてしまったのである。

わたしたちだって、恋人を真実に愛していると思い、夫を心をこめて愛していると思っている。だから時には、

「わたしがこんなにまで、つくしてあげているのに」

などと言う。特に女性はこんな不平不満を持つことが多い。だが果して、わたしたちの愛はそれほど真実であろうか。

わたしは旭川生れの、旭川育ちである。小さい時から、熊《くま》の話を聞いて育った。戦後でさえ、市内のアイヌ部落に、飼っていた熊が檻《おり》を破って逃げ、近所の子が頭髪を

むしりとられて、重傷を負うという事件があった。

昨年は日高の山で大学生が三人、熊に食われた。そんな話は、今まで何度聞いたかわからない。だから、旭川から一時間ちょっとで行ける層雲峡などに行っても、熊が出やしないかと、ビクビクする。

熊はめったには出ないが、近年層雲峡の旅館の傍や、国道に出たことはある。三浦と二人で歩いていて、もし熊が出たら、わたしは前述の青年同様、三浦をおいて逃げ出すだろうと思う。三浦は、療養中のわたしを五年も待って、二つ年上の三十七歳のわたしと結婚してくれた。これは、待った結果が、五年後に治ったからいいものの、病気が治らなければ、彼は十年でも一生でも待ったかもわからぬ誠実な人間なのだ。

それで、わたしは三浦には、無論感謝の思いをこめて愛しているつもりではある。だが、それはあくまで、つもりであって、いざとなれば何をするかわからない。熊に出あっても、

「光世《みつよ》さん、わたしが食われてあげるから、あなたは早く逃げてちょうだい」

などとは決して言わぬであろう。彼を熊のほうに押しやり、自分一人、さっさと逃げてくるかも知れない。

いざとなれば、そんな残酷さ冷酷さをむき出しにするかも知れぬのが、人間なのだ。

無事平穏な時は、心の奥底に……自分でも気づかぬほど深い深い奥底にかくれてはいても、いざとなれば、その冷酷さが顔を出す。そんな冷酷さを胸に秘めていると知ったら、

「愛しています」

などと、果してわたしたちは言うことができるだろうか。

わたしたちの一生には、幸いなことに、そうそう人の身代りになって、命を投げ出さねばならぬような事態は起らない。が、毎日の平凡な暮しの中においても、わたしたちの心の奥底にある冷酷さは、ヒョイヒョイと顔を出す。

「うちみたいな平社員は、安月給でしょう。だから大変よ」

などという言葉を、平気で口から出す妻たちの何と多いことだろう。男にとって、平社員とか、安月給などという言葉が、どんなに傷つけられるものであるかを、妻たちは知らないのだろうか。その傷つける言葉を口に出しながら、

「愛している」

とは、とても言えない。知っていて使うのは、もはや論外である。

夫もまた、しばしば平気な顔で、

「何を着たって、お前になんか似合いはしないよ」

などと言う。この言葉がぐさりと妻の胸に刺さることに気づかぬほどに、男もまた冷酷なのだ。

二

男と女の間の愛情は、もともと他人だから、冷たく変ることがあっても仕方がない。しかし、親子の愛情はすばらしいと言う人がいる。

いつか、わたしは次のような記事を、新聞か雑誌で読んだことがある。

〈わたしたちは、自己愛のかたまりである。その証拠に、自分の中から出るものには、愛情がある。鼻の孔《あな》に指をつっこんで、鼻くそをほじり、それをじっとみつめたり、いつまでも指でまるめていたりする。

水洗トイレに入って、うんちをし、消化のよしあしや、色を仔細《しさい》に眺めてから、水で流したりする。しかし、他人が水を流し忘れたトイレにでも入ろうものなら、「ワッ、汚ない」とばかり外へ飛び出す。同じうんちなのに、他人のものは汚なく、自分のものはしげしげと見ることができる〉

というのである。

ましても、自分の腹を痛めて産んだ子、自分の血肉を分けた子供がかわいいのは、当然だということになる。子供はいわば、自分の分身なのだ。自分がかわいいように、子供がかわいいのだ。

これは、誰に教えられなくても持っている本能的な愛なのだ。わたしはこの頃、神が親に本能的な愛を与えた理由が、少しわかったような気がする。

生れたばかりの赤ん坊は、母親がその乳房をふくませ、おむつを取りかえてやらねば、何ひとつ自分ではできない。産湯《うぶゆ》もつかってやらねばならない。風邪は引きやすい。夜泣きする赤ん坊もある。しかし、母親は面倒とも思わず、口ひとつきけない赤ん坊の必要な世話を、喜んでするのだ。おっぱいを飲む子の顔を飽かずに見ほれ、今日は笑ったとか、クシャミをしたとか、一つ一つ心にとめ、夫に告げる。

こうして、次第に離乳食をとるようになり、這《は》うようになり、そして立ち、歩きはじめ、片言を言うようになる。子供が言葉を憶《おぼ》えるのは、母親の飽きることのない語りかけによるのだ。母親が、まだ何もわからぬ子供に話しかけている姿ほど、清らかで美しいものはないような気がする。

だがしかし、それらの母親の愛は、母親たちの人格から発する無私の愛ではない。人格的には、かなり冷たい人間でも、エゴイストでも、わが子かわいいの本能的な愛は持っているのだ。

もし人間に、この本能的な愛さえないとしたなら、子供は到底無事に育つことはできないであろう。人間からこの本能的な愛を取り去ったら、一体どんな愛が残るであろう。それほど人間は愛のない存在ということもできる。それ故《ゆえ》にこそ、神は人間に本能的な愛を与えられたのかも知れない。

前にも書いたが、この頃は、この本能的な愛さえも、欠落した親たちが出て来た。幼児虐待《ぎゃくたい》や幼児殺しの新聞記事が一日に三件も出たことがある。

自分の欲望が強まる時、子供がかわいいという母性の本能さえ失ってしまうのだろうか。足手まといの乳児がいては、愛人の心をつなぎとめることができないからと、何の罪もない子の首をしめた母親もいる。

残酷な母親だとわたしたちは言う。だが、子供よりも、自分がかわいいとなれば、親も何をしでかすか、わからないものなのだ。

戦前、日本の農村では、貧しさのために、どれだけ多くの娘たちが身売りをしたことかわからない。それは政治や社会のあり方に問題があったのであろうが、とにかく親が貧しさに耐えかねて、わが子を売春婦などに売り飛ばしたのだ。

「いくら金に困っても、自分はそんなことはしない」

と、わたしたちは言う。しかし、わが子を売り飛ばした人たちもまた、平生はそう思っていたにちがいない普通の親たちであったのではないか。

金のないことを、来る度に嘆く父親の言葉に、遂《つい》に療養所の裏の川で死んだ療友や、敗戦時に子供を外地に捨てて引き揚げてきた母親たちのことも、わたしは今までに話したり書いたりして来た。

だが、この親たちもまた、普通の親たちであったにちがいないのだ。いかに普通の平凡な親たちであっても、一旦、金のほうが大事になったり、自分の命のほうが大事になったりすると、子供を捨て、あるいは売り、自殺にさえ追いこんでしまうのだ。

子を育てるために必要な、本能的な愛をさえ崩し去るほどの、根強い自己愛（愛の字を使わず、利己心とだけ言うべきかも知れない）が、わたしたちのうちにひそんでいる。その事実を、以上の親たちは物語っているのだ。

この親たちが、特殊な人格の人間ではなく、一般的な平凡な人間であることに、わたしは恐怖を覚える。つまりそれは、わたしたちもまた、その一人だということなのだ。親としての愛さえ、全うできない人間であることを、わたしたちはもっと直視しなければならないと思う。旧約聖書には、饑《う》えた親たちが、吾が子の肉を煮て食ったという、慄然《りつぜん》たる記事まで出ているのである。

友情は、この地上で、あるいはもっとも美しいものかも知れない。それは男女間のように、肉欲の伴う愛情ではなく、親子のように本能的な愛情でもない。これこそ人格と人格の結合による愛であるような気がする。

わたしの知人のK子とS子は、小学生の時から無二の親友だった。K子のいるところには必ずS子がいた。休み時間、運動場で遊ぶ時は勿論《もちろん》、トイレに行く時も、帰宅時も登校時も、彼女たちはいつも一緒だった。

女学校に入っても同じだった。二人は腕をからませて道を歩き、おそろいのかわいい財布を持っていた。

彼女たちが、女学校を卒業後数年たった時だった。わたしは驚ろくべきことをS子から聞いた。K子はS子の夫をうばって結婚したというのである。S子は言った。

「一生、K子の顔など見たくない」

と。

仲のよかった二人を知っているわたしには、信じられぬことだった。わたしは単純な人間だから、目の大きな丸顔のK子と、目の細いうりざね顔のS子は、相惹《あいひ》くところがあって、仲がよいのだろうと思っていた。そして、K子の好きな男性のタイプと、

S子の好きな男性のタイプはちがうはずだ。だから、一人の男をめぐって、争うことなど決してあるまいと思っていた。

事実、彼女たちの選んだ男性は、全く別のタイプだった。ところがK子は少し魅力的すぎる女だったのである。その大きな目に妖《あや》しい光があり、それがS子の夫を迷わせたのだ。

友情も、利害が伴わぬ限りにおいては、長つづきがする。しかし、同時に一人の異性を愛するようになったりした場合、その友情はもろくも破れ去ってしまうのではないだろうか。

また、友人に金を貸し、それがもとで、友情を失った例は世にたくさんある。もし、本当の友情があるなら、金を返せぬから、返してもらえぬからといって、こじれて行くはずはないように思う。が、そう簡単に事が運ばないところに、友情というものの頼りなさがあるのかも知れない。

わたしたちだって、自分の夫を、あるいは妻を横恋慕されたら、いかに仲のよい友人だったとしても、たちまち憎むべき存在に変るだろう。

三

愛には、男女間の愛、親子兄弟の愛、即ちエロスの愛から、友愛、師弟愛、社会愛、国家への愛、人類愛などがあり、更に神の愛がある。

このいくつかある愛の中には、その性格が全く相反するものさえある。国家への愛が、人類愛と一致することは稀《まれ》である。

戦時中のことを、若い人は知らないだろうが、英語を使うことを許されなかった。レコードを音盤、パーマネントを電髪、ヴァイオリンを提琴という具合である。が、ラジオその他、どうにも漢字にあてはめ得ない名前もたくさんあって、徹底できるはずはなかった。

なぜ英語を使って悪かったのか。その時の敵国、イギリスやアメリカの国語だからである。英語をちょっと使うと、

「敵性語を使うとはけしからん。非国民だ」

と言われたものである。こんな狭量、排他的なものが、愛国心には含まれている。

当時、ある婦人会が捕虜収容所に見学に行った。婦人たちがそこで何を見たか、そ

れは知らない。しかし、その中の一人が英米の捕虜を見て、

「おかわいそうに」

と同情した。この一語がたちまち日本中の問題となった。

「敵国人に対して、おかわいそうにとは何たることか」

と、日本人の多くは憤慨し、「おかわいそうに」という言葉は、非国民の言葉の代表のように喧伝《けんでん》されたものである。今考えれば、あまりにもばかばかしい限りだが、事実だったのだ。このような愛国心が、人類愛の性格と相違することはいうまでもない。

エロスの愛は、神の愛と性格を異にする。中でも異性間の愛は、「あなたを幸福にします」などと、言葉としてはささやかれても、いわば自分の思いを遂げる、自我の充足、肉欲の充足がその基調にある。正に「愛は惜しみなく奪う」である。いや、異性に対する愛のみではない。親子の愛にせよ、国家への愛にせよ、神の愛とは全くちがう。

どのようにちがうか。聖書の有名な愛の章、コリント人への第一の手紙十三章を抜《ばっ》萃《すい》してみよう。

〈愛は寛容であり、愛は情深い。またねたむことをしない。愛は高ぶらない、誇らな

い、不作法をしない、自分の利益を求めない、いらだたない、恨みをいだかない。不義を喜ばないで真理を喜ぶ。そして、すべてを忍び、すべてを望み、すべてを耐える〉

ここを読む時、試みに「愛」という言葉の代りに「私」という言葉を入れて読んでみるといい、とわたしは信仰の友に教えられた。つまり、

〈私は寛容であり、私は情深い。またねたむことをしない〉

という具合に読むわけである。

〈私は自分の利益を求めない。私はいらだたない〉

とは到底言えない自分を、いやでもわたしたちは見出《みいだ》すことだろう。こんなにも「私」という言葉の、すわりの悪い文章はないのではないか。「愛」の代りに「私」という語を入れかえることのできないということが、わたしたち人間の愛が、どんなにチッポケなものであるかを物語っているのである。

〈いらだたない〉人間はいない。わたしたちはすぐにいらいらする。なぜか。自分の思い通りにならないことへの不満からだ。

銭湯で、小さな子が自分の服のボタンをはめようとしていた。なかなかはまらない。母親がはめてやろうとすると、子供はその手をふりはらって、自分ではめようとする。

母親が手を出す。子供はふりはらう。とうとう母親はいらいらとして、子供をどなりつけ、

「遅くなるじゃないの」

と、邪慳《じやけん》に子供服のボタンをはめた。こんな場面を、わたしはいつか見たが、これもわたしたちの日常の一端であろう。

〈高ぶらない、誇らない〉

これも愛の性質なのだ。だが、何とわたしたちは高ぶり、誇る存在だろう。ちょっと服飾のセンスのある者は、センスの悪い人間の前で、どんなに誇ることか。成績のよい人間は、成績の悪い者の前で、どんなに高ぶるか。そう想像しただけで、高ぶり誇ることが、即ち愛のない行為であることがわかる。

しかも、誇るべきことでないことさえ、わたしたちは誇るものだ。勉強をしなかった。学校を怠けた。教師を殴ったなどということさえ、自慢話にする人間がいる。この頃は、浮気の回数まで得々と書く人さえ、たくさん現われてきた。だから、泥棒や殺人さえ自慢の種になり、刑務所に入ったことで幅をきかせるところまでエスカレートするのだろう。

また、自分の利益を求めない、などという人間は誰もいない。このように、わたし

たちは愛の本質から外れて生きている存在なのだ。

では、この「愛」の代りに、「私」ではなく、知人の誰彼の名をあてはめて読んでみるとしよう。どんなに立派な人間でも、やはり、愛の代りにピタリとあてはまるというわけには、行かないのではないか。

だが、一人、ここにピタリとあてはまる方がある。それは、神の子イエス・キリストである。まさしく聖書の言葉どおり、「神は愛なり」なのだ。そして、「私は愛なり」などとは、いよいよ言えないことを知らされるのである。

さて、ここでわたしは、先にしるした洞爺丸事件の二人の宣教師の話に戻りたいと思う。

この人たちは、なぜ、人のために死ねたのだろう。〈私は愛である〉と言い得ない人間に、なぜこのような愛が可能であったのだろう。

わたしたちは、熱烈な恋愛の最中には、心中したり、その人のために死ねるかも知れない。だが、それは恋する相手のためだから死ねるのだ。親もまた、わが子のために死ぬこともあろう。だが、隣の家の子供のためには死ねないだろう。

しかし、あの宣教師たちは、見も知らぬ行きずりの人のために死ぬことができたのだ。それは一体なぜなのだろう。わたしは幾人かの、外人宣教師を知っている。イギリスから来た人や、アメリカから来た人を知っている。この人たちが、たどたどした日本語で、あるいは鮮かな日本語で、聖書の言葉を語る時、わたしは深い感動を覚える。この人がむずかしい日本語を勉強したのはなぜか。住み馴《な》れた故国を離れ、親きょうだいや友人たちと別れて、はるばる日本に来たのはなぜか。決して、金もうけのためでもなければ、出世のためでもないのだ。ただキリストの愛を、この日本の人たちに伝えたいためなのだ。日本人の魂を愛するが故に来たのだ。

この時点において、既に彼らは多くのものを捧《ささ》げている。故国、親きょうだい、友人、地位、金銭等々。キリストのために、彼らはこうした多くのものを捧げてしまっている。果してわたしたちは、故国を捨て、親きょうだいと別れ、金銭欲や出世欲を捨てきって、ネパールやアフリカに行くことができるだろうか。

日常の生活で、このように多くのものを、人に捧げて生きることができて、はじめて命をも捨てることができるのではないかと、わたしは思う。利己主義なわたしたち人間に、このような生き方を可能にさせる力が、キリストにはある。それはキリストの愛なのだ。その愛を知るためには、わたしたちは先ず、自分がいかに愛のないものであるかを、はっきりと知らねばならないのではないだろうか。

虚無というもの

一

先年、ある地方に講演に行った。その時、高級住宅地に住む一主婦から、こんな話を聞かされた。

私たちこのあたりに住んでいる主婦たちは、七十パーセント満たされた生活をしていると、各自が思っている。夫は管理職にあり、月給は十五万以上もらっているし、このように、まあ高級住宅に住んでいる。子供たちも高校を出、大学へ進む年頃で、大体希望の線を行っている。だから、百パーセント満足していいはずだが、三十パーセントが満たされない。空白なのだ。

それで、皆で集っておしゃべりしたり、ショッピングを楽しんでもみた。が、いつしかそれにも飽き、ローケツ染を皆でならった。はじめのうちは楽しかったが、やがて馴《な》れると、それもまた三十パーセントの空白を満たすものとはならなかった。

鎌倉彫もやった。が、結局はそれも同じ結果だった。そのうち、主婦たちの一人がアバンチュールを試みた。恋愛をしたのだ。この人は最初は恋人に熱中したが、肉体関係を結び、その生活が日常化し、やがて惰性化して、ついには甚《はなは》だしい虚無に陥った。三十パーセントの空白を埋めようとして、百パーセントの空白になってしまった。

以上の話を聞かせてくれたのは、大学を出た聡明《そうめい》な、感受性の豊かな女性だった。わたしはなるほどと思った。これは多かれ少なかれ、わたしたちの生活にも、あてはまることではないかと思った。わたしたちは、自分の生活が、ある人は五十パーセント満たされていると思い、ある人は九十パーセント満たされていると思って生活している。

が、残りの五十パーセントが満たされない。十パーセントが満たされない。何かしらぬが、どこか満たされない。そのような生活をわたしたちはしているのではないだろうか。いや、どこが満たされないという自覚すら持たずに、何となくこれが人生だと思って生きているということもある。

ところで、この何パーセントかの「空白」「虚無」という言葉は、数字になおしたら何となるだろう。わたしはよく言うのだが、0（ゼロ）という数字になるのではないかと思うのだ。

0という数字は無気味な数字である。一億に0をかけてみよう。0となる。一兆に0をかけてみよう。これも0となる。0はわたしたちの最も大切な命も、人生も、ことごとく0に変える。いかなる巨大な数字も一瞬にして0の中にのみこまれ、いかなる貴重な業績も、また0の中にのみこまれる。0は実に無気味な恐ろしい数字とは言えないだろうか。

前に述べた、高級住宅地に住む夫人たちは、七十パーセントは満たされていると思っていた。が、実は、三十パーセントの空白、即ち0の中にのみこまれる可能性を持った、あるいは、0の中にのみこまれてしまった生活であったのかも知れない。だからこそ、ローケツ染も鎌倉彫も、結局はむなしさだけに終ってしまい、ある夫人は恋の中に一層のむなしさを感じてしまったのかも知れない。

この人々は、とにかくむなしさの自覚があった。生きる上に、このむなしさの自覚、虚無に対する感覚は、確かに必要であり、真剣に考えてみるべき問題の一つである。

ある青年は毎日が楽しくて仕方がないという。毎日勤めの帰りにはボーリングをする。これが楽しいのだという。わたしは尋ねてみた。

「むなしいと思ったことがない?」

「ちっとも!」

彼は晴々と笑った。

やがて、彼は肩を痛めた。好きなボーリングは当分中止ということで、彼はいともつまらぬ顔をしていた。

「退屈でかなわない。毎日がむなしいよ」

わたしは、それが人生の真相だ、真の姿だと思った。彼はむなしい人生を、ボーリングでまぎらしていたにすぎないのだ。だから彼からボーリングを取り去った時、何が残ったのか。空《むな》しさだけが残ったのだ。

わたしの友人の一人にも、若い頃いつも恋愛を求めている人がいた。恋だけが人生だと言っていた。そして幸いめでたく結婚したが、彼女は数年後に生気を失った顔をしていた。結婚生活は刺激がなくてつまらない。退屈だ。恋をしたい。燃えるような恋をしたいと言っていた。彼女の人生から恋を取れば、結局はむなしさ以外、何も残らなかったこと、これは前述のボーリング青年と同様なのである。

パスカルは、「パンセ」の中で次のようなことを言っている。

〈気晴らし。——もし人間が幸福であったとしたら、聖者や神のように、気晴らしをすることが少なければ少ないほど、一層幸福であったろう。——然《しか》り。だが、気晴らしによって愉快になり得るということは、幸福なことではないのか。――いな。なぜなら、気晴らしは他所《よそ》から、外部から来る。そこで、それは依存的である。故《ゆえ》に、避け難い苦悩を惹《ひ》き起す無数の出来事によって乱され勝ちなのである〉（由木康訳「パスカル冥想録《めいそうろく》」より）

またパスカルはこうも言う。気晴らしは確かに、わたしたちの惨《みじ》めな状態を慰めてはくれる。しかし、それがまたわたしたちの惨めさを最大なものにする。それは、わたしたちの真実な反省を妨げ、わたしたちを知らず知らずのうちに滅亡させてしまうからである――と。

二

ところでわたしたち人間は、自分自身をじっとみつめる時、自分自身に失望しないではいられないのだ。

わたしは今まで、人間はいかに罪深い自己中心的な存在か、いかに弱く、無力で、知恵のない、変りやすい存在か。そしてまた、人間はいかに多くのことに捉《とら》われた不自由なものであり、いかに愛のない存在かを書いてきた。

この弱く醜い、愛のない自分を真剣に直視した時、わたしたちは自分の実態の惨めさに、何か生きて行くことの虚《むな》しさを感ずるのは、当然ではないだろうか。こんな自分が、何の役に立つのだろう。こんな自分が、この世に必要であろうか。こんな自分が、何のためにあくせくと生きているのだろう。ある日、ふとこう思うのは当然ではないだろうか。

真実の人生を歩もうとする人間が、虚無の恐ろしさに気づかないわけはない。それは、わたしたちの生活のすべてを呑《の》みつくす恐ろしい亀裂《きれつ》なのだ。そして更に注意すべきことは、人生に虚無しか認めずに終ってはならないということだ。

虚無を知ることは必要である。事実、この世の実体は虚無なのだから。聖書にも、この世が、いかにむなしさに満ちたものかが、徹底的に書かれている箇所がある。旧約聖書の中の伝道の書である。既に「道ありき」にも引用したが、再び引いてみよう。

〈空《くう》の空《くう》、空の空、一切は空である。

日の下で人が労するすべての労苦は、その身に何の益があるか〉

〈川はみな、海に流れ入る。しかし海は満ちることがない〉

〈すべてのことは、人をうみ疲れさせる〉

〈知恵が多ければ悩みが多く、知識を増す者は憂《うれ》いを増す〉

〈わたしは自分の心に言った。「さあ、快楽をもっておまえを試みよう。お前は愉快に過すがよい」しかし、これもまた空《くう》であった〉

まだまだ伝道の書は、一切が空であることを書きつづける。酒を飲んだ。大事業を成し遂げた。家を建て、ぶどう畠《ばたけ》を設け、木立と池のある大庭園をつくった。男女の奴隷《どれい》を買い、たくさんの牛、羊、金銀財宝に満ちた。他国の王も来てひざまずき、そばめも数多くいた。しかも、自分には人の及ばぬ知恵もあった。が、

〈わが手のなしたすべてのこと、および、それをなすに要した労苦を顧みた時、見よみな空であって、風を捕えるようなものであった〉

と、この著者は嘆いているのだ。

これを、わたしたちの生活に引き当てて考えてみよう。夫が係長になり、課長になり、更に部長になり、家も建てた。広い庭もあり、お手伝いもやとった。貯金も増え、財産も増えた。

これは、この世において、わたしたちが望んでいる状態かも知れない。しかし、わたしたちはとうに知っている筈《はず》なのだ。たとえデラックスな外車を乗りまわし、別荘

を持つ人間でも、わたしたちの想像しているほど、幸福ではないということを。

〈金持よりも、貧しい者のほうが、よく微笑する〉

というセネカの言葉がある。

わたしの知人に、かなり大きな会社の社長に嫁いだ女性がいた。訪問することも憚《はばか》るような、門から玄関まで一町もあるような広い屋敷であった。友人たちは彼女を羨《うらや》んだ。

ある時、わたしは彼女に街で会った。指に大きなダイヤがきらめき、一目《ひとめ》で高価だとわかる着物を着ていた。が、彼女はわたしを見ると、目に涙をいっぱいためて言った。

「幸せそうね、あなたは。わたしは毎日が淋《さび》しくって……」

聖書の伝道の書にあるとおり、彼女もまたむなしかったのだ。

わたしは療養所にいた時、患者たちの奇妙な現象を知った。次第に病状が回復し、退院の日が近づくにつれて、患者たちは何とも言えない憂鬱《ゆううつ》な表情に変ってくるのだ。中でも、Mという青年はその傾向が著るしかった。

「どうしたの。あなたこの頃憂鬱そうね」

娯楽室で会った時、わたしはMに言った。

「ああ、憂鬱でたまらないんだ」

「なぜ？　もうすぐ退院じゃないの」

「それなんだ。ぼくが憂鬱なのは。ぼくはね、今まで、一日も早く病気がなおりたいと思って、それを目的として生きて来た。その目的が達せられたら、ぼくは何をしていいか、わからなくなった」

「だってあなた、職場に復帰するはずじゃない」

わたしはふしぎな気がした。

「ぼくはね、病気になるまで、銀行マンとして、金を数えたり、ソロバンをはじいたりして、働いていた。だけどね、それはいわば人間マシンみたいな存在なんだ。機械でもできる仕事を人間がやっているんだ。だから、ぼくが病気になったって、別段誰も困りゃしない。すぐに人は補充され、何の支障もなく仕事はつづけられたんですよ」

それでいいではないかと、わたしは思った。自分が病気になって、人に迷惑をかけないだけ、喜ぶべきではないかと思った。

「ですからね、職場では、ぼくがいようといまいと、どうということはないんだ。つまり、ぼくの存在価値はゼロということですよ。存在価値ゼロの人間が、職場に復帰してみても無意味じゃないですか。ぼくが休んでいる間も、けっこう銀行は繁昌《はんじょう》し、支店もできましたよ」

彼は非常に憂鬱な顔をしていた。療養中はまじめに安静を守り、看護婦にも素直に従い、快活な青年だった。彼は、明日退院するという日に、突如行方不明になった。一物も持たず、彼は散歩に出ると称して、病室を出たまま行方不明となってしまった。

この忘れられないMのことを、わたしは自分の小説「氷点」の中に書いている。僅《わず》かなエピソードなのだが、この箇所は意外に反響が大きかった。小説の重要人物でもなく、ストーリイにそれほどかかわりのある人間でもない。それなのに、なぜ、この青年についてたくさんの手紙が来たのか。恐らく、それは読者の心の中にある虚無感と一致するもの、共感するものがあったからではないだろうか。

この青年の虚無感は、自分の存在価値がゼロだと観じたところにある。自分は生きてはいるが、誰も特別に自分を必要としない。それはつまり、自分はいないも同然だと、彼はいうのだ。

彼のようなむなしさは、時折わたしたちの中にもしのびこむことがある。わたしたちは非常に仲のよい夫婦を知っていた。はた目にも、どちらかが死んだら、一体どうなることかと案ぜられるほどの睦《むつま》じさだった。

その妻が癌《がん》になった。夫は毎日病院に泊って妻の看病をしたが、妻は死んだ。夫は人目もかまわず妻をかき抱いて嘆き悲しんだ。その夫の悲しみをわたしも目《ま》のあたり見た。

その後、二人の子を抱えて、夫がどう生活したか、わたしは知らない。ただ、さぞ辛《つら》い毎日だろうと察していた。一年後、わたしは、新しい妻とつれだって、嬉《うれ》しそうに挨拶《あいさつ》する彼に会った。彼のうれしそうな笑顔に、わたしはほっとしながらも、一方何か割りきれないものを感じた。あんなに愛し合っていた妻がいなくても、彼は幸せになれる。彼女は彼にとって、かけがえのない存在ではなかったのだ。わたしはそんなことを思った。

これは、わたし自身も経験している。わたしには、療養中深く愛している恋人がいた。ある時、彼の友人の金田隆一氏がわたしを見舞ってこう言った。

「もし、どちらかが死んだら、あなたがたは一体生きて行けるだろうか」

この恋人は死んだ。一年後に三浦が現れ、五年後にわたしたちは結婚した。

わたしたちは、必ずしもお互にとって、かけがえのない存在ではないのだ。三浦とわたしは愛し合っているつもりである。だが、もし、わたしが先に死んだら三浦はどうするだろう。

「一緒に死ぬよ。二人は一緒に死ぬに決っているよ」

と、彼は言う。いかに本気でそう思ってはいても、わたしの死後一年経《た》てば、彼は妻をもらうだろう。

こう考えると、たしかにわたしもむなしくなる。ふっと侘《わび》しい気持にもなる。しかし、これが人間のありのままの姿ではないだろうか。人間の本当の姿というのは、やはりむなしいものなのだ。

と、いって、わたしたちは青年Mのように、ストレートに行方をくらますこともなく生きているのだ。

三

むなしい状態にもいろいろある。失恋したり、夫に恋人ができたりして、生きる意欲を失い、ぼんやり日を過ごすという状態もある。わが子に死なれ、または夫に死なれて、自分も死んだようになる状態もある。何となく、毎日が退屈で、酒を飲んだり、パチンコをしたりして日を送る状態もある。

だが、虚無は必ずしも、一様に人を無気力にさせるとも言えないのだ。前に述べたように、毎日ボーリングが楽しくて、生き生きとしていながら、実は虚無的な人間もあるからである。

芥川龍之介《あくたがわりゅうのすけ》も、太宰治《だざいおさむ》も、虚無に陥って自殺した。が、彼らは死ぬまで、次々と小説を発表して、はた目には意欲的に仕事をしていた。

評論家の佐古純一郎氏は、既に何年か前に、三島由紀夫の小説は虚無的であると評されている。彼は、たくさんの小説を発表し、映画を作ったり、芝居をしたり、楯《たて》の会をつくったり、実に意欲的に活動していた。が、彼の底に流れる虚無感は、とうに作品に現れていたのだろう。

学生運動に情熱をそそいでいた青年が、ある日突然自殺した。

「人生は退屈だ！」

彼が激しく運動している姿の、どこに人生への倦怠《けんたい》があったろう。が、わたしにはよくわかる。わたしは療養生活時代にみた多くの療友たちを思い出す。ある人はいつも大声で笑い、常に他の部屋を訪ねては議論し、しきりに文章を書き、自分の詩を廊下に掲示したりして、倦《う》むところを知らぬかに見えた。その彼は、ある時わたしに言った。

「ぼくは、ものすごくのどが乾いて、何杯水を飲んでも、のどがからからになる時のように、何をしても退屈が追いかけてくるんですよ」

この人は自殺未遂をした。

よく活動しながら虚無的だということは、刺激を追い求める生活に似ているとも言える。かの芥川龍之介が、多く王朝時代に作品の舞台を選んだ理由は何であったか。彼は言っている。

「テーマを芸術的に、最も強力に表現するためには、異常な事件を必要とするかも知れない。その異常な事件は、異常であればあるほど、今の日本に起きたこととしては、書きこなしにくい。小説を自然にするために、舞台を昔に求めた」と。

なるほどそうかも知れない。牛車《ぎっしゃ》に女を乗せて火を放つ「地獄変」とか、餓死者の死体から着物を剝《は》ぐ老婆《ろうば》の「羅生門」など、幾多の鬼気迫る作品を思い合わせると、容易に彼の言葉を肯定することができる。

それはともかく、異常な事件を一つ書けば、次はより以上に異常な事件を書き、更に又、それ以上の異常な事件を、彼は求めずにはいられなかったのではないだろうか。

そしてそれは、わたしたち現代の生活の中にも見ることのできるものだ。青年も老人も、家庭にある者も、外で働く者も、男も女も、常に新しい刺激を求めてやまない現代である。それがスピードであったり、スリルであったり、セックスであったりするのは、お互の知るところだ。

　現代の若者は、時速四十キロの車には全くスピードを感じないだろう。いや、七十キロ八十キロでも、もはやスピードではない。百キロを越えるスピードさえも、果して満足できるのか。ここには、瞬間のスリルを求めるだけで、何の内容もない。そこには感覚しかないのだ。友人たちと、ワアワア騒ぎながら車を飛ばす若者たちは、決して青春を楽しんでいるのではない。生きていることに退屈しているのだ。そのことに気づかないだけなのだ。だから、あるいは事故を起して死ぬかも知れないスピードに酔って、遂《つい》には命を落す者があるわけだろう。

　セックスにしても同じである。夫婦間だけではつまらなくなり、他に恋人をつくり、それさえも刺激がなくなり、軽々と相手を変え、遂には同性を求め、同性にもやがて飽き、果ては獣姦《じゅうかん》さえも試みる異常さに転落する。これは、もはや人間の滅亡以外の何ものでもない。本人は人生を楽しんでいるつもりかも知れないが、これは真の意味で人生を楽しむ姿では決してない。全くの虚無の果ての姿と言っていいだろう。

　こう考えてくる時、わたしたちは、自分自身の生活を凝視し、自分が虚無に陥っているか、いないかを、確かめてみる必要に気づくのではないか。虚無と自覚しての生活なら、道も開けようが、虚無に陥りながら、それと気づかぬことは、パンセにあるとおり、滅亡するより仕方がないかも知れないのだ。

わたしたちは、自分の生きる姿勢を検討してみよう。この世は虚《むな》しさに満ちている。だから、この世に対して虚無を感ずるのはむしろ当然である。虚しいものを虚しいと感ずることに、恐れることはない。恐るべきは、虚しいものに喜びや生甲斐《いきがい》を感じて、そこに浸ることである。この頃よく、虚像と実像という言葉を聞くが、虚像を実像と見、実像と錯覚することは確かに恐れねばならない。

虚無とは、自己を喪失させ、亡《ほろ》びに導く一つの力であると言える。虚無に陥《お》ちているか、どうかに気づくことは、結核や癌の早期発見以上に大切なことなのだ。

ここでわたしたちは一つ注意する必要がある。それは、繰返し言ってきたとおり、人間は弱い存在であるということである。死を選びたくなるような事態に、いやでも直面させられる存在であるということである。したがって、自己を直視することに耐えられないものである。それは、いかなる強い人といえども、同じなのだ。

聖書に出てくるモーセという指導者は、映画「十戒」の主人公として描かれた英雄でもあるが、あの偉大なモーセでさえ、

「むしろ、ひと思いにわたしを殺し、この上苦しみに会わせないでください」

と、神に祈っている。更に聖書の人物の中で、モーセに劣らぬ勇者であり、預言者

であったエリアもまた、

「今、わたしの命をとってください」

と、生きるよりも、死を望んだことがあった。

わたしたちに、死を願うような時があっても、この偉大な人物たちでさえ、死を願ったことを、思い出すべきである。

自分だけが弱いのではない。自分だけが苦しいのではない。自分だけがむなしいのではない。自分だけが惨めなのではない。自分だけが死を思っているのではない。誰しもが、様々な苦しさ、むなしさに陥らざるを得ないのだ。そのことを、腹の底からよくみとめた時、わたしたちは、

「虚無の隣りに神がいる」

ことを、知り得るのではないだろうか。


一体、わたしたちの人生に、何が一番大切なことなのか。人間にとって、なくてならぬことは何なのか。毎日を、不要不急の雑事にとりまぎれて、なすべきことを忘れて生きてはいないか。ある日、わたしたちは、そう立ちどまって考えてみなければ、自分の姿がわからないかも知れない。

「主婦の友」(昭和四十六年五月号)の編集後記に、
「昔はよき妻、よき母になることが生きがいと言われたが、それでいいのだろうか。子供が巣立ち、主人に先立たれたあと、むなしさだけが残ることのないようにするには、どうすればいいのか」

という読者の言葉が紹介されてあった。これは、何も女性だけの問題ではない。多くの女性が、育児に家事に生甲斐を持っているように、男も又、仕事に生甲斐を持って、生き生きと生きている場合は少くない。が、一旦停年を迎えて職を離れると、一様に生気を失ってしまう。停年ぼけと称する虚しさに襲われてしまうのだ。

もし、男性にしても、女性にしても、誰も奪うことのできない生甲斐を持っていたとしたら、たとえ、子供が成長して一人取り残されようが、停年になろうが、やはり生き生きと生きて行けるにちがいない。それは、育児が大切でないとか、職業はどうでもいいということではない。人間としての本当の生き方に立っていたならば、一生を育児に捧《ささ》げようと、芸術に捧げようと、決して空《むな》しさに終る筈《はず》はないと、わたしは言いたいのだ。

また、健康で働ける間は充実していて、病気になり、働けなくなったら虚無的になったとか、若い間は生き甲斐があったが、年老いて虚しくなるというのも、どこか本当の生き方から、ずれているのではないだろうか。

では、このむなしい世において、家事、勉学、芸術、職業、結婚、独身、いかなる道を選んでも、むなしくならずにすむ道があるのだろうか。ある、とわたしは答えたい。

それは、この章まで、ずっと読んでくださった方は、わたしが幾つかの例を引いてきた人を思い出してくだされば、肯定できる筈だと思う。

例えば、ハンセン氏病のため、手足も不自由で、目も見えず、一切を人手に頼らねばならず、自分で出来ることは呼吸をするだけというその人の顔が、実に輝いていたという例をわたしは書いた。この人は、何故《なにゆえ》にむなしさに陥らずにすんでいるのか。

先日、わたしはある六十を過ぎた癌患者が、日夜世界の平和を祈り、知る限りの人々のために祈りを捧げて、一日の時間が短かくてならないという話を聞いた。

なぜ彼らが虚しくならないのか。それは、誰も彼から奪うことのできない実存を知っているからだ。虚無を満たすもの、それは実存しかない。実存とは、真実の存在なる神である。永遠に実在する神である。この神を信ずる時、わたしたちは虚無を克服することができるのだ。

神を信ずるものにとって、死はない。永遠の命を信じているからだ。では、いかにして、わたしたちは神を信じ得るか。神とは真に実在するのか。いよいよわたしは、実存なる神に筆を進めてみたいと思う。

神ならぬ神と、真の神

一

　わたしは、自分がはじめて「神」という言葉を口に出したのは、何歳の時であったろうかと時折思う。そして、その時の神観念はどんなものであったかと考える。最も幼い時のわたしの神は、多分やさしいが威厳のある、長い杖《つえ》を持った白髪の老人ではなかったかと思う。

　人はそれぞれ、時代により、また成長の過程により、その持つ神観念はことなるのではないだろうか。

　近所に、いつも道路に打水をし、家のまわりを小ぎれいにしているひとがいた。首から背中までおしろいをつけた、そのおかみさん（おかみさんと呼ぶのが、もっとも似つかわしい人だった）は、朝必ず、太陽に向って拍手《かしわで》を打ち、拝礼をしていた。

「お日さまは神さまだからね。お日さまがおいでにならないと、この世はまっくらで、お米もお野菜もとれないのよ」

おかみさんは、わたしたち子供にそう言い聞かせてくれた。

太陽を神と見たのは、ずいぶん昔からのことらしい。また雷神と言って、雷を神としたり、風を神としたりする神観念も昔からあったようである。

特に日本では、今でも八百万（やおよろず）の神々と言っているくらいで、火の神、水の神、便所の神などもあるらしい。

ストーブの中に鼻紙をくべると、

「火の神さまに失礼に当る」

と、真顔《まがお》で叱《しか》る人たちがいたものだ。いや、今もいるかも知れない。

近頃は、各家庭で正月の餅《もち》をつくこともなくなったが、以前はどこの家でも小さなお供え餅をつくって、神棚へは無論のこと、便所に台所にと飾ったものだ。

火の神、水の神ならまだいいとして、狐《きつね》を神に祭ってある稲荷《いなり》神社、馬を祭った馬頭観世音（これは神ではないようだが）、犬を祭った神社など、いろいろある。

確かに日本には、未《いま》だに明確な神観念がないと言える。戦時中は、天皇が神だった。また戦死した人が祭られて神となった。人が死ねば神になるという、極めて幼稚であいまいな神観念の国に育ったわたしも、同様にあいまいな神観念しか持ち得なかった。

「飯粒をこぼすと、罰《ばち》があたるよ」

と、食事の度に母に言われて、何となく畏《おそ》るべき存在のあることを感じたり、友だちに白い馬は神の使いだと聞いて、本気に信じた小学生の時代もある。わたしは白い馬を見かけると、すぐに走って行って、うやうやしくおじぎしたものだった。よくわたしは言うのだが、これぞ馬を敬する「驚く」べき事実だったのだ。

そして、鳥居さえあれば、ていねいに礼をし、小学五年生の時には三十日間、氏神《うじがみ》の社《やしろ》に朝詣《あさまい》りをしたことがある。これは全校あげての行事だったが、それでも三十日皆勤して、表彰されたものは少なかった。わたしはその少ない中の一人だったから、何となく神を敬う思いはあったにちがいない。

だが、鳥居のある所で必ず頭は下げても、何が祭られているかを考えたことはなく、三十日間氏神に詣《もう》でても、氏神とは何かを知ろうともしなかった。

何ごとのおはしますかは知らねどもかたじけなさに涙こぼるる
という、考えてみると漠然たる神観念しかなかったのである。何を祭ってあるか、わからないがありがたい、というのでは本当は困るのだ。また、単に恐れるだけでも、困るのではないだろうか。

昔、菅原道真《すがわらみちざね》が、ざん言《げん》によって九州の太宰府《だざいふ》に流された。彼はそこで、遂《つい》に無念の死をとげるのだが、彼の死後、京都に落雷があった。落雷で御所も焼けた。人々は、道真公の祟《たた》りであるとして、早速天神様として祭ってしまった。これは、悪質な中傷ざん言をした人間が、良心に咎《とが》めて、恐怖のあまり祭り上げた神であろう。つまり祟りが恐ろしくて、なだめるために神に祭り上げたのだ。

わたしたちの中には、

「神など信じない」

と、うそぶくが、「神の祟り」を恐れる人は意外に多いようである。神を信じなければ、神の祟りも信じなくてもよいような気がする。が、そうはいかない。神は信じないが、女の十九歳、三十三歳、男の二十五歳、四十二歳に、氏神様に厄払いに行ったりする人も、未だに多いらしいのだ。

祟りを恐れるという恐怖の思いから生まれた神は、天神様のほかにもたくさんある。あの有名なお岩大明神も、天神様と同様お岩の霊の祟りを恐れて祭り上げた神である。映画や芝居をする人たちの中にも、お岩の芝居をする時は、お岩大明神に詣らねば、祟りがくると信じている人が多いと聞く。

祟りがあってはならぬから、お詣りをする、さい銭を上げる、というのでは、神とは暴力団のようなものとしか、言いようがないのではないか。

わたしたちは、一体どんな神を求めるべきなのであろうか。

二

いま、わたしは、真に求めるべき神について述べる前に、一つのことを書いておきたい。それは、わたしたちは果して神を認識することができるか、という問題についてである。

「わたしは無神論者ですからね。全然神など信じませんよ」

という人はかなり多い。わたし自身も、曾《か》ってはそういうことを思っていたし、言ったりもした。

わたしの入信への過程は、「道ありき」に詳しく書いているので、ここではあまり触れないが、わたしは虚無的で、且《か》つ大のキリスト教嫌いであった。クリスチャンと称する一群をも、甚《はなは》だしく嫌悪《けんお》していた。

「死んでもクリスチャンにはならない」

と、豪語さえしていた。だがある時、

「あなたの無神論というのは、一体どんなものなのか、聞かせてくれませんか」

と人に言われて、グッとつまった。無神論などと、いかにも一つの論理を持っているようでいて、わたしには何の内容もなかったのだ。単に、神など信じられないといった程度のものだった。

それで、わたしもまた、無神論者と称する人に、昔自分が尋ねられたように、尋ねてみることがある。その結果は、曾ってのわたしと大同小異で、さしたる論など持たない無神論者が多いのだ。その上、神社のお札《ふだ》や、交通安全のお守りなどをカーに吊《つ》しておく無神論者もあったりする。神を本気で尋ね求めた結果、無神論者になったのではなく、ただ漠然と、神はいないと言っている程度の無神論者が多いのだ。

「自分の目で見たり、自分の耳で聞いたりすることのできない神を信ずるなんて、非科学的だ」

という声も聞く。わたしも曾って、同じことを言っていた。わたしたちは科学は信ずる。しかし容易に神を信じない。

北海道で、ムーデー科学院の科学映画がテレビで放映された。わたしは毎回、この時間には隣りの弟のテレビを見た。実におもしろい番組で、わたしはこの番組で、さまざまの驚くべき事実を知った。

たとえば、わたしたち人間の耳は、ある限度を越えた、例えば雷鳴以上のような大きな音は聞えないということを知った。あまりに小さな音、低い音は聞えないというのなら、何もこの科学映画を見なくてもわかることだが、大きすぎる音も聞えないとは、恥ずかしい話だが全然知らなかった。

またテレビでは、一人の男が超音波の笛を吹いた。人間には聞えない。テレビを見ているわたしたちにも、何も聞えなかった。ところが、一匹の犬が遠くからその音を聞きつけて駈《か》けて来たのだ。

わたしはそれを見て、つくづくと人間の耳の聞える範囲のせまさを思った。いかに大きな音が耳もとで聞えても、超音波の音が聞えても、わたしたち人間には何も聞えない場合があるのだ。もしこの様子を犬が見たら、人間とは何とトンマなものだろうと、笑うにちがいない。

テレビでは、一つの装置から大きな音を出し、うすいコルクをピンセットではさんで、装置の下の空間に置いた。すると、コルクは空中にとまった。その大きな音が物体を吸引するのか、あるいはテーブルに反響して持ち上げるのか、とにかくその音は物体を空中に浮上させておくほどの力を持っているのだ。上から下に、同じ間隔で置かれた五つのコルクを眺めながら、わたしは賛嘆した。それほどの力ある音が、わたしたち人間の耳には聞えないということに、わたしは改めて人間の限界を感じた。

参考までに書いてみよう。人間は十九キロサイクルから二十キロサイクルまでの音波を聞きわけられるそうだが、犬は二十五キロサイクル、こうもりは八十キロサイクル、イルカは百二十キロサイクルまで、聞きわけることができるそうである。

この人間の聴力の限界は、嗅覚《きゅうかく》、視覚においても、言えることだろう。わたしたちの目は、微細なもの、あまりに近いもの、あまりに遠いものは見えない。また、誰しも知っているとおりプロペラや扇風機の羽のように、あまりに早く動いている物体も、確かにそこにあるはずなのに、見ることができない。

もし、ものすごく大きな声でわたしたちに語りかけ、猛烈にすばやく動く何かが目の前にいたとしても、わたしたちは多分その存在に気づかないにちがいない。

こうした人間の限界は、五官の能力は勿論《もちろん》、頭脳の働きにも当然あるはずである。

とすれば、

「自分の耳で聞き、目で見ないものは信じられない」

ということは、それ自体既にこっけいな話であると言えよう。わたしたちの目が、すべてのものを完全に見得るとしたら、あらゆる微細なものまで見えるはずである。手や指にうごめく無数のバイキンやビールス、空中に漂うグロテスクな細菌の一切が見えるはずである。もうそうなったら、人間はノイローゼになるにちがいない。二人の人が向いあっていても、無数の菌にさえぎられて、お互の顔を認めることさえできないかも知れない。人間の持つ能力に限界のあることは、人間が生活する上に必要なことであるとも言えるのであろう。

とにかくこの科学映画では、実にさまざまのテーマで、さまざまの事象を週毎《ごと》に見せてくれた。

ある時は、あの荒涼たる砂漠が、実は目に見えぬほどの小さな花で埋《うず》まっており、それらの小さな花は、色とりどりの、形も多種多様の花であることが示された。

またある時は、蜂《はち》の生態を示して、蜂にも仲間に伝えることのできる言葉があって、自分のみつけた蜜《みつ》が、どの方向、何キロの所に、どれだけの量があるかを正確に知らせるという事実が写し出された。

そしてまたある時は、わたしたちの人間の赤血球は、いかなる型をしているのが理想的か、多くの数学者が電子計算機を使って、幾日も計算してつくられた結果が、実は人間固有の赤血球の型と同じだったという報告もあった。つまり、人間の中でも最高の頭脳を持つ学者たちが、あくせくと幾日もかかって、電子計算機で計算してやっとわかることを、わたしたちの体をつくった創造主は、とうにご存じだったということとだ。無論、高等数学や、電子計算機などは用いずに。それは即ち、それ以上のはるかに高い知恵を持っておられるということなのだ。

このように、人間とは、視力も聴力も、すべての能力においても、限られた存在なのだ。だから、自分の目で見、耳で聞く以外のものは認めないということ自体、ナンセンスなのである。

第一、わたしたちは、神を認めることなどできない、不完全な存在なのだ。そしてまた、神は認めらるべき存在ではなく、信ぜられるべき存在なのだ。認識の対象ではなく、信仰の対象なのだ。

目の前にあるコップを見て、

「これはコップだと信じます」

とは、誰も言わない。それは、コップだと認めるだけのことである。信ずるとは、まだ見ていない対象に対して言われるべき言葉なのではないだろうか。

「神はいるか、いないか、わからない（認められない）が、神をいると信ずる」

これが信ずるということだろう。

わたしたちは結婚の相手をえらぶ時、相手を誠実な人と信じて、幸福にしてくれるにちがいないと信じて、決意したにちがいない。相手が本当に生涯変らぬ誠実の人か、本当に幸福にしてくれる人かはわからぬが、「信じて」結婚したはずである。

神もまた、決して現在の科学では（恐らく将来の科学でも）認められない存在なのだ。かの大科学者アインシュタインもニュートンもキリスト者であったが、彼らは科学によって神を認めたのではなく、信仰によって神を信じたのである。科学が信仰の助けにはなったとしても、科学によって、神を認識したのでは決してないのだ。

偉大な科学者ほど、神を信ずると昔から言われているが、それは科学を究めるに従って、人間の有限性を知り、人間には知り得ぬ世界の多いことを知るからであろう。くどいようだが、人間は思い上ってはならない。たしかに人類は、その持つ知恵によって月世界にまで到着し得たかも知れない。しかし、この果てしない大宇宙の広遠なことを思うと、太平洋を渡るのに足を半歩海に入れたほどにも及ばぬことなのだ。言ってみれば、

「何も知っちゃいない」

存在なのだということである。わたしたち人間はどこまでも謙遜《けんそん》に自分をかえりみたいものである。

三

さて、わたしたちが聖書によって示されている神とは、どんな神か、次に述べたいと思う。

「はじめに神は天と地とを創造された」

聖書の第一番に書かれているのは、この言葉である。この天地、人間を創《つく》られたのが、神だというのである。

日本におけるドライクリーニングの創始者五十嵐健治氏は、十九歳の時にはじめて開いた聖書の冒頭にこの言葉を読み、

「ああ、この天地をつくられたのが神であったのか。この自分もまた神につくられたのであったか」

と感動し、涙にむせばれたそうである。その話を聞いて、わたしもまた感動した。わたしは、今までに幾度もこの言葉を聖書で読んだが、涙にむせんだことは一度もなかった。

(そうか、神は天地をつくられたのか)

と思っただけだった。

深海にすむ魚に、目の退化している魚があるという。目は使わなければ退化するのだ。同様に、霊的な目も使わなければ、退化して盲になってしまう。わたしは、五十嵐健治氏の、この感動を聞いて自分を省み、そう思った。

わたしたちが、もし、すばらしい城のような建築物を見、これをつくったのは、この人ですと誰かを紹介されたら、どうであろう。

「ほう、この人がこのすばらしい建築物をつくったのか」

と、改めて驚き、感心するにちがいない。また、すばらしい永遠に残るような名画を見ていて、これはこの方が描かれましたと紹介されたら、わたしたちはやはり相当に感激するにちがいない。

五十嵐健治氏は、日本の美しい山河を毎日感じ入って眺めていた時、この天地をつくられたのは神であると知って、言いようもない感動を与えられたのであろう。そして、人間もまた神の創造によると知った時、更に素直に信ずることができたのであろう。

神がこの天地をつくられたということは、即ち神は全能であり、創造主であるということであって、聖書の示す基本的な神観念とも言える。ヨハネによる福音書の第一

章にも、有名な、

「初めに言《ことば》があった」

という表現がある。(文語訳では「太初《はじめ》に言あり」となっていて、このほうがよく知られている）つづいて、

「言は神と共にあった。言は神であった。この言は初めに神と共にあった。すべてのものはこれによってできた。できたもののうち、一つとしてこれによらないものはなかった」

と書いてある。言は、意志、思想、力、真理等の意味を含み、原語のロゴスの訳であり、訳すのに苦心を要したと言われるが、この聖句もまた神が、神の意志によって万物を創造されたことを示している。二千年にわたって、キリスト者はこの天地創造の神を信じてきているわけである。

次に、神は聖なる方である。

「われらの神、主《しゅ》は聖でいらせられる」

という言葉は、聖書のいたる所に書かれている。

自分たちの信ずる神が、聖であるということは重大なことである。人間が死んで神に祭られた程度では決して聖とは言えないであろう。たとえ、いかなる品行方正の人

が死んでも、わたしには聖なる神になるとは思えない。このことについては、人間がいかに弱く、みにくく、誤りやすい者であるかを、くり返し書いて来たことによって、わかってもらえると思う。

聖なる神はまた、義なる（正義の）神でもある。

「あなたが（この場合神を指す）言葉を述べる時義とせられ……」

「すべて人間は神の前に義とせられない」

「それは神の義を示すためであった」

というように、ロマ書の三章にだけでも、神の義、神の前における義という言葉が、幾度も出てくる。

神が正義であるということは、わたしたち人間にとって、感謝なことだが恐ろしいことでもある。なぜなら、わたしたちが義《ただ》しいとは言えない存在だからだ。わたしたちは、全く正しい方の前に出たら、どんな思いになるだろう。自分のみにくさが、はっきりわかって、顔を上げ得ないにちがいない。

ところで神が、単に正義の神であるだけなら、わたしたちにとって、たとえ神の存在を信じ得たとしても、それは遠く冷たい存在でしかないであろう。

一体、聖にして義なる全能の神は、卑小な人間をどのように見られるのであろうか。

「吾々人間は、神さまじゃないんですからね。そりゃあ間違いもありますよ」

と、よく人は言うが、この言葉は神の完全と同時に人間性をも実に言い得た言葉である。確かに人間は、神とはくらべることもできない小さな弱い存在である。この弱いわたしたち人間を、一体神はどのように見ておられるのであろう。

ありがたいことに、聖書はこの聖にして義なる神が、同時に愛なる神であり、ゆるしの神であることをわたしたちに示して止《や》まないのである。その神の愛を、イエスは聖書のルカによる福音書十五章の中で、一つのたとえ話によって教えておられる。

このたとえ話は「放蕩《ほうとう》息子の話」として有名であり、芥川龍之介は、これを短編小説の傑作であると激賞したという。が、イエスは無論小説家であったわけではない。常にわかりやすいように、人々にたとえ話で語られたのである。

〈ある人に二人の息子がいた。ところが弟息子がある日父親に言った。

「あなたの財産のうちで、わたしのもらう分をください」

そこで父親は、その身代を二人に分けてやった。それから幾日もたたないうちに、弟息子は自分のものを全部換金して家を出た。

そして、自分の好きな遠い所に行って、放蕩の限りをつくし、金を湯水のように使い果してしまった。すっからかんになった頃、その地方にひどいききんがあった。彼は遂に、食うに事欠くほどに落ちぶれた。

仕方なく、人にやとわれて豚飼いになった。彼は空腹のあまり、豚のえさでうえをしのごうとしたが、誰一人かまってはくれなかった。

どん底生活に落ちて、彼はやっと本心に立ちかえって言った。

「父の所には、食物のあり余っている雇人が多勢いるのに、わたしはここで飢え死にしようとしている。そうだ、父の所へ帰って行って、こう言おう。おとうさん、わたしは天に対しても、おとうさんに対しても、罪を犯しました。もうあなたの息子と呼ばれる資格はありません。どうか雇人のひとり同様にしてください」

彼は立って、しおしおと父の家へと帰って行った。ところが父親は、まだ遠くに離れているうちに彼の姿をみとめた。哀れに思った父親は、走って迎えに出て、その首をしっかりと抱いて接吻《せっぷん》した。息子はかしこまって言った。

「おとうさん、ぼくは天に対しても、あなたに対しても、罪を犯してしまったのです。もう息子などと呼ばれる資格はございません」

しかし父親は、大喜びで僕《しもべ》たちに言いつけた。

「さあ、早く最上の着物を出して来て、この子に着せなさい。指には指輪をはめてやりなさい。それから新しい靴を出し、はかせることだね。そうだ、一番肥えた子牛をほふろう。みんなで楽しい宴会を開こうじゃないか。何せ、この息子は、死んでいたのに生き返ったのだ。いなくなっていたのが帰ってきたのだ。めでたい話じゃないか」

こうして、音楽や踊りのうちに祝宴は始められた〉

物語りは、まだこの後少しく続くが、この父親は言うまでもなく神の姿である。わたしたちの神は、このように慈悲ぶかい愛の方なのだ。ただの一度も、

「どの面《つら》下げて帰って来た？」

とも、

「分けてやった身代は、一体何に使ったんだ。兄貴を見ろ。兄貴のほうはまじめに働いているぞ」

とも責めなかった。

いかなる罪を犯しても、一旦《いったん》悔い改めて神のもとに立ち返ろうとするならば、神は責めるどころか、大いに喜んで受け入れてくださるのだ。わたしたちが、泥棒をしても、姦淫《かんいん》を犯しても、人を傷つけても、殺人を犯しても、とにかく本気で悔い改めるならば、神は大手を広げて、その御手《みて》の中に迎え入れてくださるのだ。

わたしたち人間は、誰一人として、神にゆるしてもらうことなど何もないとは、決して言えない存在なのだ。たとえいわゆる大きな罪は犯さなくても、わたしたちは必

ず人の心を傷つけたり、憎んだり、苦しめたり、何らかの罪は犯している。そしていかなる罪も神の前にかくすことはできない。しかし、いかなる罪をも神はゆるすことができるのだ。わたしたちはこの神に帰って、はじめて真の安らぎを得ることができるのである。

以上、わたしは神について、幾つかのことを書いた。また、神の義や、聖や、愛についても、いくらか述べた。それはしかし、きわめて一部分である。わたしはこれらの神の存在、神性は、キリストによって啓示されていることを、ここに再びふれておかなければならない。神の聖も、義も、愛も、キリストを通して、人類に如実《にょじつ》に現わされたのである。

前述したとおり、神は人間の知恵をはるかに越えた存在であり、到底認識できない存在である。信ずるより仕方のない存在である。そしてまた、どのように信じたらいいのか、それもわからないのが人間である。だが、神の側から、キリストによって道はひらかれたのである。

イエスの弟子の一人は、神を示して欲しいとイエスに言った。イエスは言われた。

「わたしを見、わたしの業《わざ》を見よ」

と。これについても、回を重ねて述べていきたい。

神とキリストと人間の関係

一

わたしが聖書を読みはじめて、何が一番理解できなかったか、いや、信じられなかったかというと、イエスが神の子であるということだった。

（イエスだって人間じゃないか。女から生まれた人間に過ぎないじゃないか）

わたしは、イエスが神の子と聞かされる度にそう思い、そして反撥《はんぱつ》した。神がいるか、いないかだけなら、いると信じてもよかった。正しく聖《きよ》く、全知全能の、そして愛なる神を信ずることなら、できそうになった。が、そういう状態になっても、イエスが神の子であるというのは承服できなかった。

よく、聖書の中の奇蹟《きせき》が信じられないという人がいる。例えば、イエスが処女マリヤから生まれたとか、盲人の目をあけたとか、海の上を歩いたとか、十字架上で死んでから三日目に復活したとかという奇蹟は信じられないという。わたしは、神を信ずるということは、その全知全能を信ずることであるはずだ。だから、奇蹟があってもふしぎはないと思っていた。ただ、イエスがなぜ神の子なのか、その辺が、どうももやもやとしていて信じられなかった。わたしは、求道しはじめてから受洗するまで、三年かかっている。三年もかかったその大きい理由は、イエスが神の子かどうかがわからないところにあった。

けれども聖書には、

「では、あなたは神の子なのか」

とのある人の問に対して、

「あなたの言うとおりである」

と、明確に答えていられるイエスの言葉が記されてある。

わたしは、当時は今より熱心に聖書を読んでおり、激しく神を求めていた。だから、参考書なども頼りに読んでいたのだが、このところを読む時、考えこまずにはいられなかった。

前にも書いたように、わたしたちの育った日本という精神的風土では、神はあいまいである。人が死んだら神に祭り上げたり、狐《きつね》までも神に祭る。そして、

「あの人は生き神さまだ」

などという言葉を、平気で使う。

だが、ユダヤの国では、口が裂けても人間を神とは言わない。ユダヤ人にとって、大いなる法律であったモーセの十誡《じっかい》にはこう書いてある。

「あなたは、わたし(神)のほかに、なにものをも神としてはならない」

それぱかりではない。

「あなたは、あなたの神、主《しゅ》の名をみだりに唱えてはならない。主はみ名をみだりに唱えるものを罰しないではおかないであろう」

とも、定められている。そして、この聖なる戒めを厳しく守っていたユダヤ人たちは、万万万一にも、

「自分は神の子である」

などとは、決して言わなかった。言えば、直ちに人々の怒りを招き、死刑になるのである。事実イエスも、

「わたしが神の子キリストである」

と言ったために、神をけがす者として、十字架につけられたのだ。その弟子のステパノという人も、

「イエスさまが、神の右に立っておられる」

と言った時、群衆は彼に殺到し、石で打ち殺したいきさつが聖書に書かれている。神の右とは、神と一つという意味で、神と人を混同するような言葉は、ユダヤ人には耐えられなかったのだ。したがって、弟子がその師イエスを神の子ということも、イエスご自身が、ご自分を神の子と宣言することも、それは直ちに死を意味する重大な注目すべき言葉だったわけである。


もちろんそれは、日本人の感情では理解できない境地であろうが、戦時中のことを考え合わせると、あながちわかり難いことではない。もし誰かが、あの戦時中に、

「わたしは天皇である」

と言ったとしたら、その人は死刑にされたか、狂人扱いされたことであろう。ユダヤ人にとっては、それよりも、もっともっと厳しい状況で神と人を区別していたわけである。

このような状況の中で、

「わたしは神の子である」

と言われたイエスの言葉である。極めて重大な言葉として、わたしも受けとらずにはいられなくなったのだ。また、こうしたユダヤの中で、弟子たちがイエスを神の子

として信じ、人々にのべ伝えていったことが、どんなに容易でないことかも、考えずにはいられなかった。聖書には、大迫害が起り、家々から、信じた男や女が引きずり出され、投獄されたことが書かれている。

　これほどに命をかけた、

「イエスは神の子である」

　という言葉を、わたしは軽々しく読み過していてよいのかと思った。わたしはそう思って、更に注意ぶかく聖書を読むようになった。すると、イエスの人格が少しずつわかってきた。過去二千年の歴史において、世界中の人々がイエスを信じ、また敬わずにはいられなかったその人格が、わかってきたのである。

先《ま》ず第一に、イエスは幼な子を愛し、尊重する方だった。聖書に次のような記事がある。

〈イエスにさわっていただくために、人々が幼な子らをみもとに連れてきた。ところが弟子たちが彼らをたしなめた。それを見てイエスは憤《いきどお》り、彼らに言われた。

「幼な子らをわたしの所に来るままにしておきなさい。止めてはならない。神の国はこのような者の国である。だれでも、幼な子のように神の国を受けいれる者でなければ、そこに入ることは決してできないであろう」

そして彼らを抱き、手をその上において祝福された〉

これを読んで、わたしたちは恥じないでであろうか。偉い人のそばに、もし幼児がよちよち歩いて行ったとする。わたしたちは恐縮して、すぐに子供を抱きかかえて去ってしまう。教会においてもそうだ。説教の最中に大声を上げると、わたしたちはすぐに気にして、子供など外に出しておいたらいいのにと、内心思ったりする。多分聖書の記事の場合も、イエスが大事な話を、人々にしている所に、幼な子を連れてきた親がいたのであろう。

「ああ駄目駄目。今、先生は大事なお話の最中なんだ。第一、子供のくる所ではない」

弟子はそう言ったにちがいない。

むろん、子供は正しくしつけられなければならない。しかし問題はそれ以前にある。人間は大体において、小さい者、弱い者、能力の劣った者を蔑視《べっし》する。つまり幼な子たちは、おとなの身勝手さから、しばしば不当に邪魔者扱いされてしまうのだ。子供を正しく尊重することは、人間にとって、非常に困難なことの一つなのであろう。自分の子供は大そうかわいがる女性でも、近所の子が遊びに行くと、実に露骨にいやな顔をする人がいる。

「小母《おば》ちゃん」

と、あどけなく話しかけているのに、怒った顔で、知らぬふりをして庭などを掃いている人を見かけたこともある。あるいは、

「あんな家の子と遊んではいけない」

とか、自分の子はかわいいが、他の子は邪魔になるという、邪慳《じゃけん》な気持がおとなの心の中にはひそんでいるのだ。

ところがイエスは、子供を拒んだ弟子たちを見て、憤ったという。

わたしたちは、他の子供のために人を憤ることは極めて少ない。誘拐魔《ゆうかいま》に子供が殺された時などは、その犯人に対して憤る。また、親が幼い子供を床に投げつけて殺したと聞いた時などは、その親を鬼のようだと憤る。しかし、幼な子の心が傷つけられるような様々なことに、極めて鈍感で、めったに憤らない。どころか、自ら平気で傷つけているのだ。そしてそのことに気づきもしないでいる。堕胎《だたい》なども、最も小さな命を殺してしまう恐ろしいことだが、現代では何の罪悪感もなくなり、日本は堕胎天国などというとんでもない称号を与えられた国になってしまった。

とにかくわたしは、おしとどめられた幼な子のために、イエスが弟子を憤った怒りと、わたしたちの憤りとに雲泥《うんでい》の差を感ずる。

イエスは、幼な子が尊重されていないことを悲しんで憤られた。幼な子がないがしろにされ、邪魔者扱いにされていることを憤られた。ここにイエスの深い洞察と、愛がある。まだ、よちよち歩きの、口もよくまわらぬ幼な子を、一つの人格としてこれほど正しく扱われた方がいるであろうか。しかも、

「神の国は、このような者の国である」

と、幼な子を賞揚した。この言葉にも無限に深い意味があるが、こんなふうに幼な子を尊んだイエスの心を、わたしたちはどのくらい感受できるだろう。

「ここに連れてくるな」

と、その父母をいましめた弟子たちは、恐らく顔を赤くしたにちがいない。反対に父母たちはどれほど感動したことか、想像するまでもなくわかるような気がする。

二

また、ある時盲人の乞食《こじき》が道ばたにすわっていた。そこへイエスが通りかかった。乞食はそれを聞き、

「イエスさま、わたしをあわれんでください」

と叫んだ。群衆が、

「うるさい、だまってろ！」

と、ばかにして叱《しか》った。ところが、イエスは彼を呼び、目をあけてやって、

「あなたの信仰が、あなたを救った」

と、言われた。

この記事を聖書に読む度に、わたしはここでも、イエスの深い愛を感じないではいられない。正直な話、もし、わたしたちが、

「〇〇さん、わたしをあわれんでください」

などと、道ばたの乞食に大声で叫ばれたとしたら、どうするだろう。ギョッとして立ちどまり、あわてて、そそくさと群衆の中に身をかくすにちがいない。そして家に帰り、

「今日はとても恥ずかしかったわ。乞食をしている人に、みんなの前で名前を呼ばれたのよ」

などと、大仰に眉《まゆ》をしかめることだろう。わたしも療養中、それでもまだぶらぶらと歩ける頃だった。電車の中で旧友に会い、懐《なつか》しくて声をかけた。すると彼女は、翌日職場で、

「恥ずかしかった」

と、語ったらしい。同じ職場にいたわたしの教え子が憤慨して、早速わたしに報告してくれたことがあった。わたしは別段、乞食のような服装をしていたわけではない。ただ懐しさに、思わず、

「Aさん」

と、大きな声で名前を呼んだだけなのだ。が、多勢の中で、大きな声で名を呼ばれるだけでも、人間という者は恥ずかしく思い、迷惑に思うものなのである。まして乞食に名を呼ばれ、

「あわれんでください」

などと言われたなら、大ていの人間はこそこそと姿をかくすこと必定である。

但《ただ》し、これがこの世的に地位のある、総理大臣とか、知事とか、もしくは社長とか、または有名なスターなどから、多勢の中で、

「〇〇さん、しばらくでした。お元気ですか。いつも、おせわになっています」

などと言われたら、どうであろう。家人には無論のこと、友人、知人の誰彼に、誇らしげに吹聴《ふいちょう》するにちがいない。

ところがイエスは、この乞食を呼び、

「何をして上げようか」

と親切に言葉をかけられた。そして目をなおして欲しいと頼まれて、目をあけてやった。

「あなたの信仰があなたを救った」

と言われたのは、つまり、

「あなたは大声で叫び求めた。その信仰があなたの目をひらいたのです」

と、賞讃《しょうさん》したことなのだ。

「どうだい、わたしはお前の目をあけてやったんだ。偉いもんだろう」

などとは、無論言われず、この乞食の信仰を、群衆の前でほめられたのである。

「だまって、ひっこんでいろ！」

と、人々に叱りつけられた乞食にとって、目をあけられた上、イエスにほめられた感激はいかばかりであったろう。

幼な子といい、この乞食といい、イエスは他の人々と変ることなく、対等に扱われた。弱い者、人に日頃卑《いや》しめられている者にとって、対等に扱われるという、この実に当然な扱いほどうれしいことはないのではないか。なぜなら、わたしたちはいかなる人にも対等で対することを、すぐに忘れ去る非情さを持って、日頃生きている者だからである。

　更に聖書には、次のようなことも書かれている。イエスと弟子たちが道を歩いていると、生まれつきの盲人が乞食をしていた。弟子たちは盲人を前にして、

「先生、この人が生まれつき盲人なのは、誰が罪を犯したのですか。本人ですか、それとも親なのですか」

　とイエスに尋ねた。何とも非情な、失礼な言い草である。自分の前でこんな言葉を聞かされたこの盲人は、どんなに悲しい思いをし、口惜しかったことであろう。イエスの弟子でありながら、何ということかと憤慨せざるを得ない。だが、一歩引きさがって考えてみると、この弟子の姿はまた、わたしたち人間の日常の姿ではないだろうか。わたしたちの心の底は、この弟子たちに劣るとも、決して勝ってはいないのだ。

　精神薄弱児や、重度身体障害者に対した時、わたしたちは一体どのような思いを抱くであろう。もし、いささかの優越意識もなく、真に同じ人間として対し得るなら、その人は心に全く差別の感情のない完全な人格の持主であると言える。しかし、人間の中にそのような人がいるであろうか。

　それはともかく、もし、わたしたちが人々から、

「精薄児や身体障害者は誰の罪ですか、本人の罪ですか、親のですか」

と尋ねられたら、何と答えるであろう。

イエスは弟子たちに答えられた。

「本人が罪を犯したのでもなく、またその両親が犯したのでもない。ただ、神の御業《みわざ》が彼の上に現われるためである」

このように明確に答えて、この盲人をも、先の盲人と同様、目をあけてやられたのである。

何度も言うとおり、わたしは長い間、肺結核で療養をしていた。最初は歩くこともできたが、次第に重症となり、脊椎《せきつい》カリエスを併発し、遂《つい》にギプスベッドに、丸七年も絶対安静をしなければならなかった。この、前後十三年間の療養中に、わたしは人々からいろんなことを言われた。

「肺結核と癩《らい》病は、天刑病と言いましてね、余程罪の深い者が、天罰として与えられている病気なんですよ」

とか、

「傲慢《ごうまん》によって左の肺が悪くなり、色情によって右の肺が悪くなるそうです」

などと言われたりした。わたしはもともと、自分が二人の男性と同時に婚約したほどの悪い女だから、何と言われても仕方がないと思っていた。が、この聖書の言葉を読んだ時、パッと目の前が明るくなり、喜びに満たされたことを、忘れることができない。

　わたしの病気も、神の御業がわたしの上に現われるためなのだ。こんな土くれに等しいわたしをも、神は何らかの形で用いてくださろうとしている。そう思って喜びに満たされたのであった。

　毎日、ただ天井を見て臥《ね》ているだけの人間にとって、何の役にも立たない自分の存在というのは、甚《はなは》だ情ないものなのだ。皆に迷惑をかけて生きている。厄介になって生きている。こんなに迷惑をかけるぐらいなら、死んだほうがいいのではないか。わたしはそう考えたことが幾度かあった。

　この悲しい思いは、臥たっきりの老人や、身体障害者や、長い病人たちの誰もが持っているはずなのだ。ところが、その悲しみを知らない健康人は、ともすればこうした人々を軽んじ、馬鹿《ばか》にし、邪魔者扱いする。「大きな顔をするな」とばかりに、病人はわがままであるとか、体が悪いので心もひねくれて困るとか言ったりする。

　そうした弱い存在である者に、イエスは、

「あなたがたは、神のお役に立つために、いま、そうして臥ているのです。苦しんでいるのです。しかし、必ずお役に立つのですよ」

と言っておられるのである。即ち、

「神の御業が現われるためである」

古来、この御言葉に、どれほど多くの病める人々が慰められ、力づけられてきたかわからない。

もとより罪の結果として病気になることはある。イエスも、

「あなたがたには罪はない」

と言ったのではない。前にも述べたとおり、罪のない人は一人もいない。ただ、

「特別に他の人よりも罪を多く犯したから、盲人になったというわけではない」

と、言われたのだ。このことをわたしたちは忘れてはならないと思う。

三

以上、僅《わず》か三つの例をのべてきたが、イエスの愛の言葉、行為は福音書の記録の中に満ち溢《あふ》れている。人々に忌《い》み嫌われているハンセン氏病の人に、直接手をのばしてさわったり、(当時のユダヤのおきてでは、ハンセン氏病者は、人々から遠くに離れていなければならなかった。人々のいる所では、「わたしは癩病人です」と大声で叫

び、人々を近よらせないようにしなければならなかった。だが、そんなおきては無視して、イエスは癩病人に手をふれて医《いや》された）また、娼婦《しょうふ》たちと食事を共にされたり、姦淫《かんいん》の現場から引きずり出されて来た女が、石で打ち殺されようとする時に、これを助けたりされた。

「健康な者には医者は要らない。病人だけが医者を必要とするのである」

とイエスは言われた。幼な子のように、自分を守ることもできない者や、不具者や、貧しい者や、病人など、この世の弱い者たちすべてを愛された。そして、イエスの言葉は、今も現実にわたしたちに生きる力を与えてやまない。このイエスが、

「わたしは神の子である」

「わたしは神からきた」

「わたしは世を救うためにきた」

「わたしは救い主、キリストである」

と宣言されたのである。

しかし、ここでまた、なぜイエスが神の子でなければならないのか、という初めの問題に突きあたるかも知れない。なぜイエスが人類の歴史における聖人であるだけではいけないのか。

それは神の正義と、人類の罪にかかわる。

神は愛である。愛なる方である。が、その愛は、いかなる罪を犯しても、いいよ、いいよと、無条件で放置してくれるルーズな愛ではない。

なぜなら、神は聖にして義なる方だからである。油を熱したフライパンに水を入れるとどうなるか。水も油も弾《はじ》けて飛ぶ。水と油とは相いれないものだからである。神の聖にして正、また義なる性格は、罪と同居できないのだ。それは油と水のようなものなのだ。

わたしたちは、きれいに掃除の行き届いた家の中に、泥靴のままずかずかと上りこむことができるだろうか。わたしたちは、靴を脱いで、きれいな足で上って行かねばならない。

聖なる神の前に、わたしたちは罪に汚れたまま、洗いもせずに出て行くことができるだろうか。熱したフライパンに水を入れるように弾けてしまうだろう。

いかにしたら、わたしたちの罪は洗うことができるだろう。自分で洗濯できるだろうか。つまり、何かよいことをして、つぐなうことができるだろうか。

全身汚れている者が、汚れた手で汚れを洗い落そうとしても、この汚れを洗い落す洗剤が人間自身にはないのだ。汚れた手は体を汚し、汚れた体がまた手を汚す。

わたしたちは、もし車で人をひき、けがをさせた時、相当の見舞金を持って見舞に行くはずである。それがもし、百円札一枚ぐらい持って見舞に行ったら、誰がゆるしてくれるだろう。逆にどなりつけられるにちがいない。

わたしたちは、聖なる神がどんなに罪を嫌う方かを、実はよく知らない。だから神の怒りがわからないのだ。罪亡《つみほろ》ぼしと称して、少々の善行をしても、それで罪は亡びはしない。決して帳消しにはならない。

わたしは、罪とはゆるしてもらうより仕方のないものだと思う。一体どうしたら、神はゆるしてくださるのか。多少その罪に見合う献《ささ》げ物をしたら、ゆるしてくださるであろう。だが、人間の命が地球より重いように、人間の罪もまた地球より重いのだ。わたしたちは、一体いかなる献げ物をして、神にあやまるべきであろうか。

わたしたちが死んで詫《わ》びたとしたら、ゆるされるであろうか。が、人間の命を以《もっ》てしても帳消しにはならないほど、罪は重いことを聖書は示している。

ここにきて、わたしたち人間は、罪の前に全く無力であり、人間自身ではどうにもしようのないことを知らされる。

しかし、それ故《ゆえ》にこそ神は神の子をこの世につかわされたのだ。

「神はそのひとり子を賜ったほどに、この世を愛してくださった」

と聖書は宣言する。

つまり、神の子は十字架にかかられて、全人類の罪を、神の前に詫びるために、この世に来られたのだ。これがキリストへの信仰なのだ。

神の子イエスは、全く潔《きよ》い方であられたからこそ、わたしたちの罪をあがなうことができたのだ。これが、豚や犬の命では罪はゆるされはしない。犬、畜生にも劣る人間の世界では、人間の命をもってしても、罪はゆるされない。どうしても、神の子でなければならなかったのだ。

子供が父親の大事な物をこわすとする。父が怒って、子供を殴ろうとした時、その間に入った母親がなぐられる。

「どうぞ、わたしに免じてこの子をおゆるしください」

母親が平あやまりにあやまる。父は何の罪もない母親をなぐってしまった以上、ゆるすより仕方がない。これと全く同じではないが、似た形が、神とキリストと人間の関係なのである。

わたしたちの罪がゆるされるために、神の子が十字架にかかる。それは信じがたいことかも知れない。が、この信仰によって、罪は全くゆるされるのだ。自分の身代りになってくださった方が、神の子であるというのは、これは大変なことで、信じがたいことかも知れない。だがイエスが単なる一般の人間では、わたしたちの罪はゆるされない。だからと言って、ことさらにイエスを神の子に祭り上げ、それを信じてきたのではない。

わたしは先に、イエスがご自分を、

「神の子である」

と言ったために十字架にかけられたと書いた。が、これは一面の結果である。確かに、ユダヤ人たちは神をけがすという口実で、イエスを十字架につけたが、イエスはご自分が十字架にかかるためにこの世に来られたことを、しばしば弟子たちに語っている。

「たしかにわたしは、自分について預言されているとおりに、死んでいくであろう」とも、イエスは言われた。その預言はイエス生誕何百年も前からあった。旧約聖書の中には、キリストがこの世に来て、多くの人々の罪を負い、死んで行くことが預言されているのだ。

聖書は決して、つじつまを合わせたものでもなく、デッチ上げでもないのである。

キリストの復活と聖書

一

わたしは前章で、イエスは神の子であることを述べ、その神の子が、全人類の罪を負って、身代りに十字架にかかられたことを述べた。が、イエスは、この死を以《もっ》て、すべてが終ったのではない。むしろ始まったと言える。実は、イエスは十字架上に果てられて、三日目に復活されたのである。聖書には、その復活について、はっきりと記されているが、この事実こそが神の子である確証と言える。

以来、二千年、キリスト信者は、この復活を堅く信じて生きてきた。パスカルも、ドストエフスキーも、キルケゴールも、アインシュタインも、みんな復活を信じてきたのである。

このことは、確かに信じがたいことではあるが、全世界のキリスト信者は、今も毎日曜日、

「イエスが処女マリヤから生まれ、十字架にかけられ、三日目に復活したことを信ずる」という信仰箇条を教会で称《とな》えているのである。

なぜなら、聖書には明確にそのことが記されているからである。とは言っても、聖書を読んだことのない人や、読み始めたばかりの人々は、こんな言葉を聞くと、聖書とは何と非科学的な、荒唐無稽《こうとうむけい》なことを書いている本であろうと思うにちがいない。そして、それは無理からぬことでもあるのだ。

誰が一体、処女から赤子が生まれ、死んだ人間が復活したことをすぐさま信ずることができるだろう。この復活は、仮死の状態から息を吹き返したというような、蘇生《そせい》とはちがうのだ。聖書によると、復活したイエスは、ドアもあけずに部屋に集まっている人々のところにあらわれたり、焼いた魚を弟子たちと共に食したと記されている。

仮死の人間が息を吹き返したのなら、それは珍らしいことではあっても、それほど驚くには当らない。イエスは十字架につかれる何日も前に、

「わたしはよみがえってから、あなたがたより先にガリラヤの地方に行くであろう」

とか、

「人の子（イエスは自分をさしてこう言われた）は必ず罪人《つみびと》らの手に渡され、十字架につけられ、そして三日目によみがえるであろう」

と、弟子たちに明言された。そして、その言葉のように、弟子たちの前にご自分をあらわされた。

もっとも、わたしがいくらこういうことをくり返したとしても、それはやはり信じ難いことにちがいない。わたしもまた信じ難い一人だったのだ。

その一人だったわたしは、最初聖書を手に取ったのは、昭和二十三年の秋だった。聖書は、旧約聖書三十九巻、新約聖書二十七巻から成っていて、これを合わせて聖書というが、ふつう新約聖書から読むことが多い。わたしは先《ま》ず新約聖書の第一頁《ページ》を開いて驚いた。

「何と退屈な本だろう」

と思った。

「アブラハムの子であるダビデの子、イエス・キリストの系図。アブラハムはイサクの父であり、イサクはヤコブの父、ヤコブはユダとその兄弟との父……」

というように、先ずキリストの系図が何十代も書き記されているのである。

もし、この新約聖書の第一頁を初めてひらいて、

「これはおもしろい。何と興味ぶかい本だろう」

とか、

「うむ、これはためになることが書いてある。心が魅《ひ》きつけられるすばらしい本だ」

と思った人がいたら、お目にかかりたい。正直いって、わたしはうんざりした。もう少し人の心を捉《とら》えることから書けばいいのにと思った。

退屈なこの系図を読みながら、わたしは、自分の恋人にするなら、どの名を選ぼうかと、不謹慎なことを考えながら読んだ。そうでもしなければ、飛ばして読んでしまうおそれがあったからである。が、聖書を読んでいくうちに、わたしは次第にいろいろなことを知った。

聖書は今から四千年以上も前に旧約の部分が書き始められ、その二千年後にイエスが生まれ、三十三歳で十字架にかかられた後、弟子たちによって新約聖書が書き上げられるまで、つまり二千年も書きつがれた本である。書いた人々は様々で、預言者、王、詩人、そしてイエスの弟子たちなど、何十人もの人々によって書かれている。内容も、歴史、法律、詩、預言、ドラマ、手紙等々、雑多なまでに多彩ではあるが、決しててんでんばらばらな、不統一なものではない。天地創造から始まって、神の子イエスの出現そしてその救いの実現に至るまで、一貫した流れをそこに見ることができる。

聖書の記者たちは、何《いず》れも人を恐れず、神をのみ恐れた人物たちである。だから、どの聖書記者も、人間の罪を指摘することに、決して遠慮はしていない。これは、日本に育ったわたしたちには、ふしぎなほどである。

全イスラエルの敬愛の的であるダビデ王についても、部下の妻を奪うために、彼がいかにあくどい方法をとった人間かを詳しく書いているし、(先に紹介したとおり)歴代の王の功罪をあますなく描き出している。日本の歴史書では、こういった書き方が到底許されていないこと無論である。

神以外に絶対者はいないという信仰がそうさせるわけであるが、聖書はまた、王ばかりではなく、イエスの弟子たちの不名誉も、ありのままに書き記している。

たとえば、弟子の一人、イスカリオテのユダは、イエスを裏切って十字架につけることに加担した。また、イエスの最高の弟子であるペテロも、イエスが捕えられ官邸に連行された時、

「お前もイエスの弟子だろう」

と、人々に言われて、

「いや、あんな人を知らない」

と、三度も首を横にふった。ペテロはイエスの死後、更に代表的な使徒として活躍したが、このペテロの一大汚点を他の弟子は省略せずに書いたわけである。伝道のためには、そんな不都合なことは伏せて、ペテロをもっと偉大な人物に仕立てあげることもできたであろうが、聖書はそのような書き方をしていない。

パウロとバルナバという、すばらしい高弟同志が、些細《ささい》なことから大論争をして、伝道旅行を共にすることのできなくなったいきさつもある。大論争をして別行動をとったと言えば、少しは聞えはいいが、要するに喧嘩《けんか》別《わか》れである。教会の中で不品行があったこと、その他弟子たちの弱さ、みにくさが数々書かれてある。

イエスが十字架の上で、

「わが神、わが神、どうして私を捨てられたのですか」

という悲痛な言葉を発したことも書き残されているが、これなども史上限りなく論じられた言葉で、わざわざ書くには及ばなかったようにも思える。

「神の子キリストたる者が、最期《さいご》に及んで、なぜこのような弱音を吐いたのか、がっかりである」

そう書いている本をわたしもかつて読んだことがあるが、ほとんどの人の当然の疑問でもあろう。十字架が全人類の罪の身代りである以上、その苦悶《くもん》もまたわたしたち人間に代ってのものであったことは、自らわかってくるわけなのだが、殊更《ことさら》に誤解を招くようなことは避けていいと、わたしたちなら思うところである。

とにかく、わたしは、聖書を読めば読むほど、何と正直な本であることかと、驚かずにはいられない。決してきれいごとや結構ずくめを書いてはいない。むしろ人間の弱さ、みにくさ、人間にとって都合の悪いことが、ことごとく書いてあると言える。わたしはこれを以てみても聖書が真実な本であることを認めないではいられない。人間の常識を超えた真実を、わたしは聖書の中に見ないわけにはいかないのだ。

したがって、弟子たちがイエスの復活を記したのも、思いつきや、でたらめであるとは何としても思えないのだ。

前にも書いたとおり、イエスが神の子であると明言することは、弟子たちにとって命がけのことであった。復活の証言は、それに輪をかけることであったろう。

イエスが役人たちに捕えられた時、そばにいた弟子たちは、散り散りに逃げた。ある弟子は着物をつかまえられたので、裸になって逃げたと聖書に書いてある。裸で逃げるとは、何ともぶざまな姿だが、それほど弟子たちは臆病だったのだ。

ところが、イエスの復活を見たあとの弟子たちは、別人のように強くなっていった。弟子たちはみな、イエスの復活を証言し、イエスはキリスト（救い主）であると堂々と人に説いて回った。果して弟子たちはしばしば捕えられ、むち打たれ、投獄された。しかし、どの弟子も恐れなかった。かつてはイエスを知らぬと言ったペテロも、

「人間に従うよりは、神に従うべきである」

と主張して憚《はば》からなかった。しかも弟子たちの多くは、最後には処刑された。

このような弟子たちの強さは、イエスの復活後に育ったものである。ということは、逆に言って、復活は真実であったということにもなる。

新約聖書の大部分は手紙である。その手紙の大方はパウロという人から、教会や弟子に宛《あ》てたものであるが、彼ははじめ、キリスト教徒迫害の急先鋒《きゅうせんぽう》であった。ユダヤ教の熱烈な信者であった彼は、人間イエスを神の子ということに最も怒った人物の一人であった。彼は老若男女《ろうにゃくなんにょ》のキリスト教徒を引きずり出し、投獄するのに狂奔した人物だったが、復活のイエスにまみえて百八十度の転回をした。彼は、その過去がいつまでも辛かったと見えて、

〈キリストが聖書に書いてあるとおり、三日目によみがえり、ペテロにあらわれ、次は十二人に……そして最後に、いわば月足らずに生まれたようなわたしにも、あらわれたのである〉

と、自分を月足らず扱いにした。彼もまた復活のキリストにまみえて、はじめて安

定した強い人間になった一人である。そのことは誰よりもパウロ自身が承知していて、次のようにも述べている。

〈あなたがたの中のある者が、死人の復活などないと言っているのは、どうしたことか。もし死人の復活がないならば、キリストはよみがえらなかったであろう。もし、キリストがよみがえられなかったとしたら、わたしたちの宣教はむなしく、あなたがたの信仰もむなしい。すると、わたしたちは神にそむく偽証人にさえなるわけだ。なぜなら、万一死人が実際よみがえらないとしたら、わたしたちは神が実際よみがえらさなかったはずのキリストを、よみがえらせたと言って、神に反するあかしを立てたことになるからである。(中略)もし、キリストがよみがえらなかったとすれば、あなたがたの信仰は空虚なものであろう。(中略)もしわたしたちが、この世の生活で、キリストにあって単なる望みをいだいているだけだとすれば、わたしたちは、すべての人の中で、最もあわれむべき存在である〉

要するに、イエスが復活しないのに、したと言っているとすれば、とんでもないうそつきになり、およそむなしい限りであり、何とも憐《あわ》れな、こっけいな存在になるというのである。

わたしは、パウロの書簡の、この一部分を見ても、そこに真実を感じないわけにはいかない。いかに巧妙であっても、虚偽にはどこかに必ず破れがある。まして、命がけで嘘《うそ》やでたらめを言う理由がどこにあろうか。

パウロは自ら書いている。

〈四十に一つ足りないむちを受けたことが五度、石で打たれたことが一度、難船が三度、しばしば死に面した〉

その他、数々の苦難にあいながら、彼もまたキリストを伝えずにはいられなかったのだ。むちで打たれたということも、文字で読むぶんには何の痛痒《つうよう》もわたしたちは感じないが、大の男が全力をふるってむちを打つ時、いかなる屈強な男の背中も、たちまち皮が破れ血が流れると聞いたことがある。そんなにまでされながら、彼らは、イエスが神の子キリストであり、吾ら人間の罪のあがないとして十字架を負われた救い主であり、死に打ち勝った復活の主であることを伝えてやまなかったのだ。

二

パウロはまた、こうも書いている。

〈わたしが最も大事なこととして、あなたがたに伝えたのは、わたし自身も受けたことであった。すなわちキリストが聖書に書いてあるとおり、わたしたちの罪のために死んだこと、そして葬《ほうむ》られたこと、聖書に書いてあるとおり、三日目によみがえったこと……〉

以上は、パウロにとって最も大事なことであり、そしてそれは、わたしたちにも最も大事なことなのである。これは、いわばキリスト教のエッセンスである。キリストを信ずるとは、どういうことかと問われれば、この個所を見て答えればいいと言っても、過言ではない。

さて、ここで、このパウロの言葉を注意深く見てみると、

〈聖書に書いてあるとおり〉

という言葉が、この短い中に二度も出てきている。これを一言《ひとこと》で言えば、預言者たちが言ったこと、即ち預言者によって取りつがれた神の言葉は成就《じょうじゅ》されたということなのだ。預言は成就したというわけである。

この預言の預は、予定の予ではない。だから、預言者は神の言葉を預る者、あるいは神の言葉に預る者ということである。もとより神の言葉は過去、現在にのみ限られない。当然、未来にも及ぶ。

キリストの誕生や死についても、あらかじめ旧約聖書に記されているが、イエスはそれに書いてあるとおり、世に生まれ、死に、復活したとパウロは言っているのである。

新約聖書のマタイによる福音書の第一頁にも、

〈すべてこれらのことが起ったのは、主《しゅ》（神）が預言者によって言われたことの成就するためである〉

と書かれているように、預言者の言葉は神からの言葉である。神からの言葉であるその預言は、驚くほどに正確に成就されているという。その例を全部引用するなら、それだけで何冊もの本になると言われている。

預言について、預言者について、今少しく詳しく知るために、いくつか旧約聖書の記録を引いてみたいと思う。

預言者たちは、神をないがしろにする国や町に、あるいは暴虐《ぼうぎゃく》な王たちや退廃した人民に、絶えず神の言葉を取りついだ。ある時は、

〈あなたがたの国は荒れすたれ、町々は火で焼かれる〉

と告げて神に帰ることをすすめ、またある時は、

〈昔は公平で満ち、正義がそのうちにやどっていたのに、今は人を殺すものばかりと

なってしまった〉

と嘆いた。

預言者に、悔い改めねば敵の手に死ぬと言われた王たちは、たとえどんなに強大を誇っていても敵に殺されて死に、必ず亡《ほろ》びると言われた国は、いかに繁栄をうたっていても亡んでいった。また、捕虜になると言われた民は必ず捕虜になり、栄えると言われた国は栄えた。これはイスラエルとその周辺の国家の歴史が証明しているとおりなのだ。

ところで預言者たちの多くは、決して自分から進んでは預言者にならなかった。神の言葉が望み、

「この言葉を語れ」

と言われても、

「いや、わたしは口下手ですから……」

と、しぶったり、

「わたしはまだ若者に過ぎません。語る方法も知りません」

と、逃げ腰になった。

わたしは最初、このような預言者たちの態度を読んだ時、ふしぎに思った。イスラ

エルの預言者たちは、しばしば王や高官から意見を求められてもいた。

「この戦争は避けるべきか、どうか」

「この国の将来はどうか」

と、預言者に伺いを立て、その答えに耳を傾ける王も数多くあった。だから、社会的に高く評価される預言者になるのに、何も逃げ腰になることはないと、わたしはふしぎに思ったのだ。しかし、よく読んでみると、それは無理のないことでもあるのだ。

神の言葉を告げるというのは、実は重大な業なのだ。旧約聖書には、ききんの時貧しいやもめの家に行って、

「あなたのかめの粉はつきず、びんの油も絶えることはない」

と告げた預言者の言葉もある。餓死を覚悟していたやもめは、その日以来、かめの底の粉も、びんに僅《わず》かに残った油も、決して減ることなく命を保ったと書かれてあるが、これなどはうれしい預言である。だが、多くの場合は、王に対しても高官に対しても、預言者は厳然と言うべきことを言い、責めるべきことを責めなければならなかった。

「王よ、あなたは自分の安全をのみ求め、民を顧みぬ悪い王である。あなたは何日後に死ぬであろう」

このような直言が、聖書には随所に出ている。甘い言葉、耳ざわりのよい言葉であれば、それが一時のへつらいであり、偽りであると知っても、人間はつい心を許す。しかし、厳しい言葉は容易に受けいれ得ない。ユダヤの歴代の王の中には、神を畏《おそ》れ、預言者の言葉に自分の非を改めた名君も時にはあったが、多くは激怒して預言者を投獄し、その命を奪った。

このように、命をも顧みぬ者でなければならなかったのだから、預言者になりたくないのは無理からぬことであった。けれども、イスラエルの歴史には、この死をも恐れぬ預言者が多数あらわれ、いかに暴君に強要されても、あるいは威嚇《いかく》されても、王の歓心を買おうとはしなかった。神が語るままに語り、神が示すままに示した。

だから、亡びると言われた国は亡び、廃墟《はいきよ》となると言われた町は廃墟と化し、敵の手に死ぬと言われた王は敵の手に死に、栄えると言われた人は栄えた。そして、こうした預言者たちによって待ち望まれていたキリストが、この世にあらわれたわけである。

旧約以来、四千年以上も経過した現代に生きるわたしたちには、それらは余りにも遠い日の出来ごとに思われて、何の感興も湧《わ》かないかも知れない。

しかし、この神の言葉が正確に成就したということは、畏るべきことではないだろうか。これは神の言葉だからこそ成就したのである。ということは、神はまさしくおられるということでもある。これら歴史の中で成就された国の滅亡、町の荒廃、王の死、または国の隆盛、町の繁栄、王の栄えなどが、偶然であると言えるだろうか。

もしも、それらすべては偶然であったとする人がいたとしたら、その偶然はいかなる確率であろう。その確率を追究し、計算している学者もいる。それは、たくさんの成就した預言のうちの、僅か四つだけを選び、これら四つの成就が、もし偶然性のものなら、一体どのくらいの偶然性であるかという研究である。当時の繁栄していた町が、廃墟になったことなどについての、四つの事件にもとづき、ピーター・W・ストーナー教授は、六百人の学生を使って資料を調べさせた。

旧約聖書に書いてあることは、歴史的にも、考古学的にも、驚くばかりに正確だそうだが、この研究の結果、四つの預言の成就がすべて偶然だとしたら、それは、二、〇〇〇、〇〇〇、〇〇〇、〇〇〇、〇〇〇、〇〇〇分の一の確率だそうである。

この、ぼう大な数字は、現実の問題として、どのような数字か、わたしたちには見当もつかない。それは、たとえば、テキサス州全土に、十メートルの高さの銀貨を敷きつらね、そのうちの一枚に印しをつけ、目かくしをした人が、その上を歩いて、掘り返しでもなんでもして、とにかく一ぺんに探し当てなければならないほどの、極めて、「当りっこ」のない確率だそうである。

これを、テキサス全土でなくてもよい。わが家の八畳間に、十センチほどの高さに百円銀貨を敷きならべ、目かくしをして、一枚の印しのついた百円玉を見つけることを考えただけでも、いかに途方もない率であるかがわかるであろう。

こう考えてくると、僅か四件の預言についてさえ、この数字が出るのであれば、成就した預言すべてが偶然であるとするためには、地上の砂の数ほどあるという星のすべてに銀貨をならべて、そのうちの一枚を探し当てねばならぬそうである。

このことを考えただけでも、わたしたちは、預言によって成就されたキリストのよみがえりを、信じないではいられないのではないだろうか。

とにかく聖書は、旧約聖書も新約聖書も、預言者や使徒たちが、命がけで、聖にして全能の神を指し示し、その御子《みこ》、イエス・キリストを指し示しつづけてきた本である。読むわたしたちもまた、真実なる魂と、謙遜《けんそん》な心をもって読まなければならないと思う。

イエスの弟子の中にも、実証主義者はいた。イエスが弟子たちの前によみがえられた時、トマスという弟子だけは、その場に居合わさなかった。だから、他の弟子たちの言葉を信用せず、

「わたしは、その手に釘《くぎ》あとを見、わたしの指をその釘あとにさし入れ、また、わたしの手をその脇《わき》にさし入れて見なければ、決して信じない」

と、イエスの復活を否定した。ところが八日後に、再びイエスがあらわれた。その時、トマスも弟子たちと共にいた。イエスはトマスに言われた。

「あなたの指をここにつけて、わたしの手を見なさい。手をのばしてわたしの脇にさし入れてみなさい」

そして、

「見ずして信ずる者は幸なり」

という、有名な言葉を残された。

わたしたちはトマスである。見なければ信じないという心を持っている。見ずして信ずる幸な者となるために、わたしたちは先《ま》ず、自分の手に聖書を取って、読み始めてみようではないか。

何年も前のこと、わたしの属する旭川六条教会の前を通りかかった男の人がいた。当時その人は乞食《こじき》をしていた。教会の前の掲示板には、

「吾は道なり、真理なり、命なり」

という、キリストがご自分を指して言われた言葉が掲げられてあった。

これを見た彼は、心に深く感ずるところがあり、市内の他の教会で求道を始めた。やがて彼の人生は一変した。無論乞食はやめ、信者となった。そして自分の家を開放して、キリスト教の集会を開く生活になったのである。

聖書の言葉は、片言といえども、このように命があり、力がある。わたしたちの言葉は、人を一センチでも動かすことはむずかしいが、聖書は真に人を生かし、人生を一変させる力がある。

わたしがいかに聖書について書いても、それは極めて一部分である。どうか、ここでそれぞれ聖書を読むことを決意して頂きたい。そして、自ら真理の言葉、命の言葉にふれて頂きたいと思う。

キリストの教会

一

伝道集会に招かれて講演をする時、わたしは、この集まってくださった方々にこうして話をさせていただく機会は、再びあるまい、恐らくこれが最初で最後なのだ、という思いにかられて、わたしなりに精一杯に語らせていただく。講演後、人々から、

「大変よいお話をありがとうございました」

「非常に感動いたしました」

などと言葉をかけていただくと、わたしは大いに力づけられ、心からうれしく思う。特に、

「毛嫌いしていたキリスト教への認識を改めました」

「聖書を読みたいと思います」

「教会に通う気になりました」

などと言われたりすると、ああ来てよかったと、しみじみ思う。

だが、そうでないこともある。大そう感動しましたとは言ってくれても、

「では、教会へおいでになりませんか」

という勧めに、

「いや、そこまでは考えていません」

「別段、信仰がなくても、今まで立派に生きてきましたから」

と、軽く手を横にふられてしまうことがある。わたしは、自分の語ったことが、実は相手をどれほども動かしてはいないことを知って、非常に落胆する。残念だと思う。

感動というのは、心が揺り動かされることなのだ。感動したと言いながら、一歩も動いていないのでは、本当に感動したとは言えないような気がする。

この「光あるうちに」も、「主婦の友」誌に連載されて章を重ねること十回である。あと二章で一応終らせていただくわけだが、

「大変わかりやすくておもしろい」

「感動しています」

という読者の方の手紙に、わたしは励まされてきた。

わたしは今までの中で、人間とは、真に愛することのできない、弱い、変りやすい、罪深い者であり、真の自由を知らぬ不自由な存在であると書いてきた。つきつめると、むなしくならざるを得ないのが人間であると書いてきた。しかし、自分がこのような弱い存在であることを知ったその隣に神がいることも述べた。

それでは神とは何か。キリストとは何か。キリストの十字架の死とは何か、その死とわたしたちはいかなる関係があるか。キリストの復活は事実なのか、聖書とはいかなるものなのか、等々大ざっぱではあるが話をすすめてきた。

それが、どれほどの説得力を持ったものであるかはわからないが、一応、わたしの言いたいことはわかってくださったのではないかと、わたしは思っている。

が、何事によらず、わかったというだけでは、わかったことにならないものなのだ。とりわけ信仰の問題は、信じなければわかりようのない問題なのだ。信じなければ、その人の生きる力とはならないのだ。

わたしはここまで、毎章読んでくださった読者の方々のことを思って、心から祈らざるを得ない気持である。

「わかった。おもしろかった。けれども信仰など持たなくても、わたしは生きて行ける」

とは、言わないでほしいと祈るのである。

確かに、この世には信仰と無関係のところにあって生きている人はたくさんいる。信ずる人の数は非常に少ない。

その一つに、誰にも話をきいたことがなく、誘われたこともないということもあろう。だが、このテレビ、ラジオ、新聞、雑誌の氾濫《はんらん》する時代である。それでもなお一度もキリストのことを聞いたことがないとすれば、これは信仰に関心がうすかったという証拠かも知れない。

パチンコの好きな人は、パチンコ屋がどこにあるかを知っているし、見知らぬ町を歩いていても、パチンコ屋はすぐに目につく。

野球の好きな人は、何時にチャンネルを回せば野球の放送が入るか、ちゃんとわかっており、歌謡曲の好きな人は、どの局のどの時間に歌謡曲が入るか、その時間をよく知っている。だが、これらの番組に関心のない人は、その時間も知らない。

わたしの行っている教会堂の前を、毎日朝夕通って、三年間高校に通学していた人がいた。彼は後に、ここに教会があることに一度も気づかなかったと言っていた。教会堂のように、高くて目立ちやすい建物の前を、三年も通っていながら、目に入らなかったのはなぜか、関心がなかったからなのである。

いくらテレビやラジオでキリスト教の番組を流していても、関心がなければ聞えてはこない。わたしが野球の番組に興味がないので、聞いたことがないのと同じなのだ。だから、積極的に誰かが信仰のことを知らせてくれたり、誘ってくれなければ、知りようがないのは当然かも知れない。

だが、聞いても、誘われても、またある程度キリスト教のことがわかっていても、信じたくない人はいるものなのだ。それは、わたしたちが満腹でお腹《なか》の皮がつっぱっている時には、いくらご馳走《ちそう》を並べられても、一口も口に入れようがないのに似ている。

「おいしいんですよ」

と、言われるまでもなく、それがどんなにおいしいかよくわかっていても、満腹では口に入れようがない。つまり、饑《う》えを感じない状態ということがある。

饑えを感じなければ、それでいいと言えるだろうか。コンニャクや水などでも、一時的には満腹することができる。だが、それは低カロリーで、真に生命を活かす力とはならない。そういうことが魂の生活にもある。

恋愛をしていれば、ボーリングに熱中していれば、雑事にとりまぎれていれば、魂に饑えを感じないでいられる。そういうことも人生にはある。それが真に自分の人生を生かす熱源ではなくても、事足りている。が、その状態にあるが故《ゆえ》の満足感は、コンニャクと水で満腹しているのと、同じではないだろうか。

これに似たことは、前にも述べたが、わたしたちは、自分の魂が、今饑えを感じていないことに満足するよりも、危機を感じたほうが正しいと知るべきではないだろうか。

女学校時代、わたしは友人に誘われてキリスト教会に行ったことがある。その時はわたしも、全く魂に饑えを感じていなかった。それどころか、傲慢《ごうまん》な思いに満たされていたわたしは、神の言葉に耳を傾ける気持など全然なく、こう思って行ったものだ。

「教会というところは、皇室を批判したり、戦争に反対するところではないだろうか。どれ、どんな悪いことを言うか、聴きに行ってみよう」

今思うと、まるで特高か憲兵のような、猜疑《さいぎ》に満ちた気持であった。自分の心が、何によって満ちているか、検討することも大切なことである。

が、そんなわたしが、更に十一年後にはキリストを求めるようになり、三年間の求道の後にキリスト者となり、遂《つい》にはこうして、キリストの思想に基いた小説を書いたり、キリスト教入門を書くようになったのだから、人間というものは、ふしぎな者である。

わたしが小学校教師をしていて、高等科を受持っていた時、クラスに中山ミヱ子という生徒がいた。非常に気持のやさしい、優秀な生徒だった。

「中山がピカ一だな、あんたのクラスでは」

と、ある同僚がよく言っていた。

翌年、一年生を受持つと、その中山ミヱ子の弟、次二がいた。この弟も気持のかわいらしい、いつもニコニコしている生徒だった。後にわたしの療養生活中、彼は習いおぼえた腕をふるって、ひき出しつきの本立を作り、見舞に贈ってくれたことがある。

このミヱ子と、次二の間に洋一というきょうだいがいた。わたしは一度も受持ったことはないが、校長はじめ学校中の教師に「洋ちゃん、洋ちゃん」と呼ばれ愛されていた、まじめな優等生であった。

彼は、わたしの療養中、度々見舞ってくれた。わたしはふしぎに、一度も受持ったことのない他の生徒にも、よく見舞ってもらった幸せな人間なのである。

それはともかく、彼は社会に出ても、まちがったことは何ひとつしないのではないかと思われる青年だった。わたしは時々、病床から彼にキリスト教の話をした。が、彼は、

「ぼくは、信仰がなくても生きて行ける人間だと思います。ぼくはご存じの通り、品

行方正ですし……」

彼には、こう自分の口で言っても、決していや味に聞えない徳があり、わたしもまた、こうよく出来た人間は、信仰がなくても生きて行けるのかも知れないと思わざるを得ない時もあった。

「ぼくの父は無宗教で、偉い父でした」

彼は時に、そんなことも言った。わたしはしかし、その彼がクリスチャンになることを毎日祈った。

こうして一年経《た》った。三年は過ぎた。が彼は相変らず、人生につまずくことのない模範青年であった。正しく生きる彼に神は不要であった。四年、五年、それでもわたしは祈った。

ある人は、二人の友のために五十年祈りつづけ、その一人は五十年目にクリスチャンとなり、次の一人は、祈った人の死後、遂にキリストを信ずるに至った、という話を聞いていたからだ。

が、意志薄弱なわたしは、五年目で彼のための祈りをやめた。と、六年目、つまり祈りをやめて一年後に、彼は人生の岐路に立たされて、遂に神を求めはじめたのだ。

今、彼は立派なキリスト者となり、教会の役員をつとめている。彼の妻も、わたしが教えた姉も信仰に入った。学術優等、品行方正の彼を以《もっ》てしても、越え得ぬ人生の深淵《しんえん》のあることを、彼は遂に知ることができたのだった。

二

ところで、雪を見たことのない人に、雪のことをいくら説明してもわからないと、ある人が述懐しているのを聞いたことがある。空から、白い雪がひらひらと降ってきて、それが地上に積もり、踏み固められた雪道はてかてかになって、滑って歩けない。このように言って聞かせると、聞く人はうなずいて聞いてはいるが、結局はわからないのだという。

どうして、そんなにたくさん積もる雪が、どんと空から一度に降らずに、順序よく次から次からと降ってくるのか、わからないのだそうだ。

よく言われることだが、砂糖を見たことも食べたこともない人に、砂糖を説明するのはむずかしいという。塩のように白く、さらさらしていて、しかも甘いと聞かされても、一見塩と同じなのに、どんなふうに甘いのか、わからない。やはりそれは「なめてみなければわからない」からである。

信仰もそれと同じで、信じてみなければわかりようがない。と言って、はじめから何もかも信じられるわけではない。先ず信じようとする姿勢をとることが必要である。一般の学問にしても、頭から否定して、受けつけないのでは、入りようがないのではあるまいか。多少ともテキストを信じ、教師を信じて入って行くはずである。

この間、わたしと三浦と秘書の三人で、十六ミリ映写機の操作の講習を受けた。テキストの図解を見せられ、詳しい説明を聞き、いかなる理由で音が光となり、光が音となるかなども聞いた。聞いていて、なるほどと思ったが、無論それだけで映写機は操作できるものではない。

一応の理論の講義の後、教師は目の前に映写機の実物を置いて説明した。そして実験してみせてくれた。しかもなお、誤らず操作するまでには、相当の時間を要した。

信仰も同様に、説明をいくら聞いても、わかったようでわからないものなのだ。ただ、信仰はいわゆる学問ではない。むずかしい論理もないし、数式を覚える必要もない。

神に対して、素直に心を開こうとすることが何よりも大事であると言える。キリストは、いつもわたしたち人間の心の扉をノックしていると聖書に記されている。わたしたちが、内側から心の扉を開くまでは、キリストは扉の外に立っておられる。わたしたちが、その扉を開けさえすれば、キリストはわたしたちの心の中に入って、御自らいろいろと教えてくださるはずなのだ。しかしわたしたちは、自分の心の扉の開け方さえ知らない者であるとも言えよう。

「キリストを信ずるためには、どうしたらよいでしょうか」

このような読者の手紙が、たくさんくる。わたしはその方々に、大ていはこう答える。

「だまされたと思って、三年間、教会に通ってみてください。聖書をくり返し読み、そして祈ってください」

と。

聖書を読み、祈ることだけなら、はじめようと思えば何とかはじめ得るかも知れない。けれども、教会に行くということは、人はなかなか気が進まないものである。

教会というところには、どんな人間がいるのだろう。はじめての自分をじろじろ見はしないか。牧師や神父はとりすました顔で、よりつきにくいのではないか。献金というのがあるらしいが、いくら出したらいいのだろう。教会に行ったら、必ず信者にならなければならないのだろうか。

こう次から次からと、なんとなく不安な疑問が湧《わ》いてくる。わたしの家は先祖代々仏教なのに、キリスト教会などに通っては、夫は何と言うだろう。姑《しゅうとめ》や親戚《しんせき》の者が何と言うだろう。不安はますます多くなり、そんな知らない世界に足を踏み入れずに、なんとか一人でキリストを信ずる方法はないものかと、考える人も割合多いようである。

わたしの小説「氷点」の中で、辻口啓造という医師が、教会に行こうと思ってその前まで行くが、教会の前をうろうろするだけで、とうとう入りそびれて帰ってくる場面がある。こうした経験を持つ人は、信者の中にもたくさんいる。

だが、どんなに入りづらくても、信仰を導いてもらうためには、教会は必要なところなのだ。無論、教会は、単に信仰を学ぶための学校ではない。神を礼拝し、神と人とが交わり、人と人とが交わり、そして、ここで聖書の言葉を聞き、力を与えられ、その与えられた力で生きるべく、各々の生活の場に向って行くところでもある。教会は、キリストの体と言われるわけがそこにあるのである。

とにかく、わたしたちは勇をふるって教会に行ってみよう。実は教会というところは、それほど勇をふるって行かなくても、普通の人が集まっているところに過ぎないのだ。別段、特別立派で、善人で、清らかな心の人ばかりが集まっているわけではない。

それぞれに、姑との仲が悪くて悩んだり、子供が不良で悩んだり、夫の不貞に泣いたり、自分の醜さに気づいて苦しんだり、体が弱くて失望したり、というように、何らかの悩みや痛みを人知れず抱いて、思い切って教会の敷居をまたいだ人が大半なのである。

たまには、讃美歌《さんびか》の美しさにひかれたり、友だちに誘われてなにげなく通っていたり、あるいは英語を学ぶためにバイブルクラスに通ううちに教会に馴《な》じんだという人はあったりしても、聖書を読んでいる間に、それぞれ人間の弱さを知った人たちなのだ。つまり、何らかの意味で、神なしには人間は真に生き得ぬことを知った人たちなのである。

では、教会に通っている人は、人間の弱さを知り、痛みを知っているが故に、みな親切でやさしく導いてくれるにちがいないと思うかも知れないが、決してそういう期待を抱かないことが肝要である。教会には、何十年も信仰生活をつづけている人もあれば、先週初めて来たばかりという人もいる。

息子がノイローゼで、精神病院に入った人、娘の自殺のショックから起《た》ち上れない人など、自分の悩みだけで一杯の人もないわけではない。その一人の誰かに何かを尋ねても、浮かぬ顔で、返事もしてくれないことだってあるかも知れない。そんなことで、キリスト信者でも冷たいものだと絶望し、二度と教会には行くまいと思う気弱な人もいる。

このように、教会に来ている人全部が信者とは限らないし、信者もまたいろんなタイプがある。わたしなど、名前は人に知られているが、決して愛想のいい、やさしい人間ではない。生来ハッキリとものを言い過ぎ、語調も激しい。だから、わたしとしては、誰に対しても善意を持っているつもりでいても、その善意が善意として通らないことも言ったりする。

要するに、神以外、キリスト以外には期待をしないで教会生活をするのが、教会生活のＡＢＣであり、ＸＹＺでもある。つまり、これが初めでもあり、終りでもある。信者はともかく、牧師や牧師夫人はやさしいだろうと思うかも知れない。が、牧師は愛の故に言いにくいこともはっきりと言い、あえてきびしい態度を取ることもある。非常に多忙で、ゆっくり話ができない時もある。それを冷淡と取って淋《さび》しく思ったりするのはまちがいである。

くり返すが、人に期待して、親切にしてほしい、あたたかい言葉をかけてほしい、自分を理解してほしいという、「ほしい、ほしい」の気持は、すっぱり捨てることである。もとより信者の中には、想像を超えた親切なあたたかい人もたくさんいる。だ

が、人間に期待している人は、必ず長い教会生活の中で、

「あの人がこう言った」

「この人がこんな態度だった」

と、つぶやく時が来て、次第に教会を離れてしまうことになりかねない。

わたしは、自分が教会に通いはじめた時、人間には全く絶望していたので、その点、今に至るまで人につまずいて教会を休むということなどはなかった。どんな立派な人間でも、人間は人間を救えない。救い得るのは神のみである。

教会の集会には、はじめて行く時にも、何のことわりもなく行ってかまわない。大てい当番の人が受付にいるので、

「はじめて教会というところに来ましたので、よろしく」

と言えば、聖書や讃美歌を貸してくれる。どうしても一人で行けない人は、予《あらかじ》め個人的に牧師に面会を求め、一応の指示を受けてから行くのもいいし、電話をかけてから行ってもかまわない。

さて、第一日目に困惑するのが献金のことであろう。礼拝の半ばに献金袋（または箱など）が回ってくるので、何か強制的な感じがし、抵抗を感ずるという手紙を何回かもらったことがある。が、献金は全く自由意志である。神を信じている人は、神へ

の感謝のしるしとして捧《ささ》げる。だから、自分はまだ神に感謝することは何もないと思う人は、あえて捧げることはない。神への感謝はまだないが、献金したいと思う人は、無論捧げてもいい。金額も自由である。一円でも、十円でも、百円でも千円でも、それぞれの自由意志に従ってよい。

隣りの人が千円捧げたからといって、十円献金するのは恥ずかしいと思う必要はない。神はわたしたちの真実を見てくださる。金高を見はしない。教会によっては、信者になると月定献金をするところがあるが、これもたくさん献金したからといって、特別扱いはしないし、一番少なくても誰一人笑う者はいない。その点全く自由で、はじめから何も苦にすることはないのである。

その他、説教がわかりづらい。聖書がむずかしいなど、いろいろの問題にぶつかるかも知れないが、それは大方の信者たちが一度はぶつかって来た問題で、しかも乗り越えてきた問題である。要は、一度や二度で教会をつまらぬところと思いこまず、できるだけつづけて通うことである。適当な友人を牧師に紹介してもらうと更によいと思う。

また、自分の街のどこに教会があるのか、それがわからない時は、職業別の電話番号簿で、宗教関係の部の、教会の欄を探すのもよい方法である。そして、電話をかけ、

「キリストを信じたいのですが、イエスは本当にキリストでしょうか、救い主なのでしょうか」

と尋ね、そうだと答えたら、そこは明らかにキリスト教会である。集会の日時なども、こちらから聞くまでもなく教えてくれるはずである。もし、イエスは別にキリストでも、救い主でもない、という答えがかえってきたら、それはキリスト教とは言えないので、わたしはそこをおすすめするわけにはいかない。そのほか、「私がキリストである」とか「この人がキリストの生まれ変わりだ」とか、イエス以外の者をキリストという教会があるとしたら、それは決してキリスト教会ではない。たとえそこにキリスト教会の看板がかかっていても、それは決してキリスト教会ではないと断言してはばからない。

また、辺地で教会に通えない人、病気の人、何らかの事情で教会に行けない人は、ラジオやテレビの番組に注意して、つづけて聞くようにしたらよいと思う。その中には、通信講座を開設しているところもあるので、その講座で学ぶのも一法である。自我流に聖書を読むよりも、やはり指導してもらうほうが、わかりが早いからである。

それと同時に、祈ることも大事である。教会に行くにせよ、通信講座で学ぶにせよ、神に祈ることは最も大事である。そして、どのように祈るべきかは、誰しも初めはわからない。イエスの弟子たちもわからず、イエスに尋ねている。イエスはこう祈れと教えられた。

天にまします我らの父よ
ねがわくは聖名《みな》を崇《あが》めさせ給《たま》え
み国をきたらせたまえ
みこころの天になるごとく
地にもなさせたまえ
我らの日用の糧《かて》を今日も与えたまえ
我らに罪を犯す者を我らがゆるす
ごとく、我らの罪をもゆるしたまえ
我らをこころみにあわせず
悪より救い出したまえ

これが、イエスの教え給うた「主の祈り」と呼ばれる祈りである。これは実に完全な祈りで、わたしたちのどんな立派な祈りも、この祈りの中に包括されるという。この祈りは無限に深く高い意味がこめられていて、とても一言《ひとこと》では言えない。一冊の本になるほどの祈りなのである。

この祈りの言葉は聖書の中に出ている。大ていの教会では、これを礼拝中に一同で祈るので、覚えておくといい。だが、イエスはこうも教えておられる。

「何事でも、わたしの名によって願うならば、わたしはそれをかなえて上げよう」

だから、何でも祈るといいのである。

「神よ、あなたはどなたなのですか、教えてください」

「愛なる御神、わたしはある人を憎んでいます。この憎しみを捨てて、その人の幸せを祈る者にしてください」

「神さま、あなたに向って、いつも祈ることのできる者にしてください」

何でもいい、本当に祈りたいことを祈ることが大事なのだ。

「聖書を好きにならせてください」

と、三年祈り、聖書ほどおもしろい本はなくなったという先生もいる。

「あしたは講演会です。どうかよい天気にしてください」

わたしはよく、こんな祈りもする。何を祈ってもよいが、「わたしの名によって」と、キリストが教えられたとおり、祈りの最後には、必ず、

「キリストのみ名によって祈りを捧げます」

「救い主イエスの名によって願います」

というふうに結ぶのである。

キリストによって、神はご自身の意志をこの世に現わされ、救いの道をひらいてくださったので、わたしたちも「キリストの名によって」神に祈るわけである。

だが、祈りは本当にきかれるだろうか。祈りはひとりごとではないのか。祈りにもまた様々な疑問も生じてくるであろう。次の章で、もう少しふれてみたいと思う。

いかに祈るべきか

一

ジョージ・ミューラーは、イギリスの偉大な信仰者である。この人は、十九歳の時まで甚《はなは》だしい大酒のみであった。女遊びも激しく生活は乱れきっていた。

この人の伝記を読んだ時、わたしは、この世のいかに手のつけられない放蕩《ほうとう》者も、新しく生まれ変り得ない者は一人もないのだという希望を、持たずにはいられなかった。

キリストを信じて以来のこの人の生活は、実に見事に、神は必ず祈りをきき給うという信仰によって、貫かれている。その信仰によって、彼は世界一の孤児院をつくり、生涯に十五万人の孤児を教えた。彼は常々、

「祈る者を、神は決して飢えさせない」

と、言っていた。だから、彼の偉大なる事業も、一切はミューラーの祈りによって与えられたという。

その、神は祈りをきき給うという信仰を如実《によじつ》に語るエピソードはたくさんあるが、一つをあげてみよう。

ある日、孤児院では、全く食糧がつきてしまった。百人や二百人の食糧ではない。係の者がミューラーに相談した。

「今日は何も食べるものがありません。どうしたらよいでしょう」

彼は答えて言った。

「そうですか。では、いつものように、食器をテーブルの上に並べておくといいでしょう」

係の者は呆《あき》れてミューラーの顔を見た。冗談ではない。昼食の二十分前なのだ。その五分後に、係の者はいらいらとミューラーに言った。

「あと十五分で、食事が始まるのです。皿の上に何かのせようにも、のせるものがありません」

「大丈夫ですよ。ちゃんと神さまにお祈りしてあるのですからね。祈りをおききあげくださる神さまが、放っておかれるわけはありません」

ミューラーは落ちついて答えた。係は舌打ちをせんばかりに立ち去った。が、五分前になると、再びミューラーのところにやってきた。

「五分前ですよ、先生。一体何を食べさせたらいいのです」

彼の言葉が終るか、終らぬかに、何台もの馬車が、食糧を山と積み、大きな音を響かせて門を入ってきた。こうして孤児たちは無事においしい昼食をとることができた。

ミューラーは係の者に、

「神はいつでも、祈りに応《こた》えてくださるのを知っていたはずではありませんか。それなのにあなたは、今日十五分間神を疑った。わたしはとても、そんな人とは一緒に働けない」

と言ったという話である。

さて、わたしたちのほとんどの人々は、ミューラーから、くびにされるような不信仰なものではないだろうか。いくら祈りはきかれると聖書に書いてはあっても、わたしたちは、ミューラーのように全幅の信頼を持って神に祈ることはできない。

人間同志の間でも、信頼のないところには何も生じない。人に何かを頼む場合、

「ね、大丈夫？　ちゃんとやってくださる？　心配だわ。必ずやってくださいね。忘れないでね」

などと、まず相手を疑ってかかるとしたら、相手は相手で、

「そんなにわたしが信用できないのなら、他の人に頼んだらどうですか」

と、頼みを拒否するにちがいない。

人間でさえ、約束は大体において守る。よくよくの時以外は、普通約束は守るものなのだ。

だがわたしたちは、神に対しては、人間に対する以上に不信である。ジョージ・ミューラーのような、真実の祈りの生活には、わたしたちは余りにも遠い。

(祈りなんて、所詮《しょせん》ひとりごとじゃないのか)

(祈りなんて、きかれたためしはない)

信者でも、こう思って祈らない人がいる。あるいは祈らないことがある。

今治《いまばり》市在住の榎本《えのもと》保郎牧師は、ミューラーのように祈る方である。榎本牧師は、曾《か》つてその月給の全部を献金なさったことがあった。家族四人をかかえての無一文の生活は、わたしには一カ月だって出来はしない。

そんな生活をなさった方だから、祈りもまた真剣である。この先生が、わたしにこうおっしゃったことがある。

「幾度も祈りをきかれた経験のある者には、祈り以上の力はない。一度その味をしめ

味をしめたらという言葉がおもしろい。前にも書いたが、砂糖の味はなめてみなければわからない。いくら砂糖を舌すれすれに持って行っても、舌にのせなければ味わうことはできない。〇・一ミリ離れていても、駄目なのだ。即ち、祈るまねではなく、真剣に祈らねばならないのだ。

世界の偉大なる信仰者たちは、みな真剣に祈った。そして、その祈りによって、確かに祈りをきき給う神を見た。これは、理屈によって神を知ることとは全くちがう。確実に神が祈りをきき給うことを、前にのべたジョージ・ミューラーのエピソードのように、全身全霊で知ってきたのだ。

日本においても、賀川豊彦、石井十次をはじめ、多くの先達たちは、ミューラーと同様の祈りについての経験を持っているのである。

宗教改革者のマルチン・ルターは祈りについてこう言っている。

「服を作るのが仕立屋の仕事であり、靴をなおすのが靴屋の仕事であるように、祈ることはクリスチャンの仕事である」

キリストの神を信ずる者にとって、また、神を信じようと思う者にとって、この言葉は肝に銘じておくべき言葉である。

「最も大きな仕事は、神を信ずることである」
と、イエスは教えられた。この世のいかなる大事業よりも、神を信ずることが偉大な業だというのである。その、具体的な現れが祈りであるとも言えよう。だから、祈りは即ちわたしたちの仕事なのだ。これを怠って、わたしは神を信じているとは言えない。祈りたいから祈る、祈りたくないから祈らない、ということであってはならない。祈りたくない時にもなお祈るべきなのだ。

　大分前になるが、わたしはこんな話を読んだ。ある人が、知人の一人にどうにも気にいらぬ男がいて、することなすことにひっかかる。何とか協調してやって行きたいと思うのだが、どうもうまく行かない。そこでその人は、遂《つい》に神に祈ることにした。

「神よ、どうか、彼を嫌う心をわたしの中から取り去って、彼を親友の一人にさせてください」

　その祈りを長い間つづけるうちに、相手の欠点と思われるところも、すべて長所に見えてきて、遂には大の親友となったということである。

　わたしたちは、あのこと、このことにひっかかって、祈りたくないことも多い。いや、人間は根本的に神に祈りたくないものを持っている。神を敬して遠ざけたり、あるいは全く無視したりしたいのが人間なのであろう。神から離れ去り、そむき去った人間の特質がそこにも見られるのだ。
「わたしは神を無視しないし、神の存在も認める。神は全能であり、絶対的真理であり、宇宙の創造者であることも知っている。人間を愛する方であることもわかっている」

と、あるいは言うかも知れない。が、理屈の上、知識の上だけでそう認めても、神との関係は回復されないのだ。自分の父は、何人の子の親で、偉大な指導者で、子供を愛し、よく働き、これこれの物を持っている、などと肉親の父を表現してみても、もしその父親と断絶状態になっていて、全く口もきかず、あいさつ一つできないとしたら、どうであろう。ナンセンスな話といえるのではないだろうか。

このように、哲学的、知識的な認め方で神を知っているだけでは、真の安らぎは得られない。わたしたち人間は、やはり子供が親のふところに安らぐように、神に帰り、神にあるべきなのだ。神もまた、わたしたち人間が、神に帰り、神に呼びかけてくるのを待っておられるのだ。その道は、キリストの十字架によってひらかれていることは、既に何度も書いた。神に顔向けのならないわたしたち人間は、只《ただ》神に呼びかけることによって神に帰り得るのである。祈りの必要なことは、これをもってしてもわかると思う。

わたしたちの教会の祈禱《きとう》室には、

「祈らないことは罪である」

とも書いてある。こう述べてくると、まだ神を信じていない人は、あるいはますます祈りを窮屈なことに思われるかも知れない。だが祈りは、心に平和と力をもたらす業である。なぜなら、祈りは神との対話であり、わたしたち人間の内面を清めるからである。それは決して気休めではない。

わたしは小説を書くようになって以来、時々著名な作家や、美しい女優さんや、すぐれた画家、彫刻家などと話す機会を持つようになった。誰々にお会いしたと友人に語ると、

「わあ、いいわね。わたしもそんな人と話をしてみたいわ」

と、よく言われる。もちろん、有名であれば特別に偉いというわけではない。名を知られないで、人格識見のすぐれた人は、世にたくさんいる。只一般的にいって、誰でも美しい人、著名な人とは話しあいたいものなのだ。わたしなど、会ってみたい人、見てみたい人が今もたくさんいる。しかし、神はこの世の誰よりもまさった方である。このすぐれた方に向って話しかけ得るということは、何よりもすばらしいことであり、光栄なことである。しかも、神との対話は、服装にも、場所にも制約はない。わざわ

ざ汽車や飛行機に乗って遠くまで出かけて行く必要もない。

台所で仕事をしている時でもよいし、道路を歩いている時でもよい。電車の中でも、バスの中でも、街の中でも、田舎道でも、美容室の中でも、デパートの中でも、あるいは床の中に寝ている時でもよい。真実に祈る心さえあればよいのだ。

祈りの形式も特にない。ふつう、人に呼びかける時のように、先《ま》ず呼びかける。

「天にいます御神」

「天のおとうさま」

「われらの主《しゅ》なる神よ」

どのように言ってもかまわない。

祈りの長さも自由である。偉大な仕事をする人ほど、祈りのために多忙な時間を多く割くというが、短かい祈りだから悪いということはない。

一日に幾十回も、同じことを祈る祈りもある。たとえば、

「やさしい人にしてください」

この祈りだけを重点的に祈る祈りである。朝夕、一時間宛《ずつ》祈る人があっても、一日に一度、二分ほどしか祈らぬ人があっても、とにかく心をこめて祈ればいいのである。神は必ずこの祈りをきいてくださると信じて祈るならば、そこにおのずから言葉があ

ふれてくる。

自分のことだけを祈ることも、時には必要とも言えるが、できるだけ多くの人々のために祈るといい。聖書にも、

〈己れの如《ごと》く、汝《なんじ》の隣人を愛せよ〉

〈おのおの自分のことばかりでなく、ほかの人のことも考えなさい〉

とある。イエスは弟子たちに、ほかの家に行ったら、その家庭の平安を祈るように教えられた。

「隣り近所の人が、今日も無事であり得るように」

「日本の政治が清められ、真に国民一般が顧みられるように。またこの国が、世界の平和に役立ち得るように」

「病気で苦しんでいる人が、その苦難を克服できるように」

「公害で苦しんでいる人が、立ち上れるように」

などなど、なるべく具体的に祈るほうがいいと思う。

三浦はタクシーに乗ると、必ず運転手とその家族の無事を祈る。この交通の激しい時代に、人の命を運ぶ仕事に携わる苦労を、思わずにはいられぬというのだ。そして、一日事故を起さずに帰ってくれるのを待つであろう家族の心を思うと、その家族のた

めにも祈らずにはいられぬ気持になるというのである。

キリスト教の祈りの場合、決して自分だけの祈りに終始するということは、ないと言って過言ではない。つまり、いわゆる「商売繁昌《はんじょう》、家内安全」だけの祈りではないということである。初めのうちは、前にも述べたように、いかに祈るべきかも、わからないものである。なるべく人にも祈ってもらい、祈りについての本も読んで、いかに祈るかを学ぶことも大切であると思う。

それは、祈る言葉を学ぶというよりも、祈る魂のあり方を学び得るからである。たとえば、親戚《しんせき》知人、友人の上のみならず、常日頃、自分を憎み、または疎外《そがい》し、敵対する人たちのためにも祈る人々がいる。こうした、真実な祈りによって、わたしたちは、このような心のあり方もあったかと知らされ、感動させられるのである。

こうした祈りは、神がわたしたちにどんな生き方をのぞんでいるかを知ろうとする時に与えられる祈りなのだ。それは、教会に行き、聖書を読み、説教をきいて、はじめて知ることのできるものかも知れない。一方的に、自分一人の欲望のみを祈る祈りであっては、それはもはや祈りとは言えないのかも知れない。

もちろん人間は誰しも、苦しい時の神頼み的な心情におちいりやすい。重い病気になった時、家運が傾いて来た時、家族がけがをした時など、思わずおろおろと手を合わせることは、どんな強い人間にもあり得ることなのである。

かの唯物《ゆいぶつ》主義者のレーニンでさえも、仕事がうまく行かぬ時には、神に祈らずにはいられなかったと、自分の著書に書いているという。とにかくわたしたちは「のどもと過ぎれば熱さを忘れる」一時的な祈りではなく、常に祈っていかなければならないのではないか。

二

先にわたしは、祈りはきかれると書いた。しかし、きかれぬ祈りもあるということを、ここに書いておかねばならない。わたし自身十三年病気であったが、それは多くの人の祈りによって癒《いや》された。だが、どんなに信仰の深い人でも、祈りさえすれば、どの病気もいやされるとは限らない。

四国の、合田まさみさんという婦人は、手術のしようもなかった肺ガンが、奇蹟《きせき》的にいやされ、「イエス様バンザイ」という喜びの本を出版された。ガンがいやされたということは、大変な祈りのきかれ方である。が神にとっては、カゼをなおすことも、ガンをなおすことも、同じく容易なことであろう。

としても、いやされたわたしも、合田さんも、その他多くの、祈りによっていやされ奇蹟を体験した人も、いつかはやがて死んで行く。その死が、果して「祈りはきかれなかった」ということになるであろうか。神は確かに、わたしたちの祈りをきいていてはくださる。但《ただ》し、いつ、いかなる時に、どのように祈りをきいてくださるかは、わたしたち人間にとっては、うかがい知ることのできない問題なのだ。

「祈りはきかれない」という形で、きかれていることもある。たとえば、幼ない子が一万円札を指さして、これがほしいと言った時、親は果してその願いをきくであろうか。いかに愛するわが子の願いでも、多分、その一万円札を幼な子の手に渡しはしまい。渡さなかったからと言って、この親に愛はなかったと誰が言うであろう。

人間の親でさえ、賢こい親は、わが子にいつ何を与えるべきかを知っている。もっともこの頃は、高校生に自動車を買ってやったり、たくさんの金を求めるままに与える親もいるとはいうが……。とにかく神は、全知全能の方なのだ。そのなされるところは、人間には測り難い。だが人を造り、その人類のために、独り子イエスの命をも惜しまなかった神は、わたしたち人間の魂の生活に、もっともよいと思われるものを、よい時に与えてくださらない筈《はず》はない。

わたしの十三年の病気は、確かに精神的にも肉体的にも、そして経済的にも苦しいものであった。だが、今過去を顧みて、あの十三年の病気の月日は、やはり必要な、なくてはならぬ時であったと、つくづくと知らされることがある。病気のみならず、あの時、なぜわたしはこんな不幸な目にあうのかと思う、いわば、人生の曲り角に幾度か立たされてきたものである。ふしぎなことに、後で考えると、それはみな、自分の魂の生活のためには、必要な曲り角であったと思わせられている。多分、こうした経験は、どの人にもあるのではないか。

ただ、わたしたちは時々、何ともやりきれない苦難にあった時など、何のために、こんな苦難が人生にあるのかと思うことがある。たとえば、たった一人の息子さんを、掌中の玉の如く、女手一つで育てた岡山の津田あやさんの場合もそうである。無事に大学を出したかと思うと戦争にとられ、やっと戦地から帰ってきたと思うと肺結核で療養所に入り、ようやく全治し、その退院の日を楽しみに待っていたところ、退院の前夜療友に殺されてしまった。聞いただけで、何ともやりきれない思いがする。

こんな例は、女手一人で育ててきたとか、正直で働き者の人々の上に、ふしぎに多いような気がする。明日大学を卒業するという息子が、酔っ払いの無謀運転のために、歩道を歩いていながら、ひき殺されたり、やっと長年の苦労が報いられて、これからは自分も幸せに暮らせると思った母親が、ガンに倒れて死んでいくというような、悲惨な話も、よく聞く。

どうしてあんな正直な人が、あんな目にあうのか。どうしてあんな信仰ぶかい人が、あんなにも苦しみにあわねばならないのか。一体どうして、人間はこんなにも不当な苦難にうめかねばならぬのかと思うことが、この世にはあまりにも多い。わたしたちは、一体この事実をどのように考えたらいいのだろう。

古来、苦しみについて様々の格言や名句が残されているのも、人間の苦難の深さを物語る証拠かも知れない。

「苦しみによって教育されなかった人間は、いつまでも子供のようだ」N・トマゼオ

「もしあなたが、他人の苦しみを背負うなら、主《しゅ》（神）はあなたの苦しみを背負うであろう」ギカ

「人の心が苦しめば、そこにキリストが住まわれる」モーリヤック

「生活をすることは、平原を越えることではない」ロシヤの諺《ことわざ》

「試練のない生活、それが最大の試練である」マッソン

また、聖書には、

「あなたがたのあった試練で、世の常でないものはない。神は真実である。あなたがたを耐えられないような試練にあわせないばかりか、試練と同時に、それに耐えられ

るように、逃れる道も備えてくださるのである」

と書いてある。この言葉を書いたパウロは、わたしたちの想像を絶する拷問《ごうもん》を幾度も受け、その上、いやされ難い病気を持ち、遂には殉教して行った使徒なのである。恐らく、そのあった苦しみは、今の世には見られないものであると思うが故に、実に重味を持ってわたしたちの心の中に迫ってくる言葉なのだが、なぜ神が、神を信ずる者をこのように苦しみにあわせるかは、わたしたちには明確にはわからない。

もしここで、わたしなりの苦難についての考えを述べることを許してもらえるなら、それはやはり、神の御心《みこころ》であるという以外に、言いようのない気がする。正しい人や、熱心な信徒の苦しみは、この世を浄化するためにあるのではないか。その人々は特に、神に見こまれた人々ではないのか。わたしはどうも、そんなような気がしてならないのだ。

神が一人一人に課せられた使命というものは、千差万別である。詳しくは忘れたが、わたしは「青い鳥」を読んだ時、その中にこんな場面があったのを思い出す。チルチルとミチルが、これから人間の世界に生まれて行く小さな子供たちと話をするところがあった。

「君はこの世に、何しに行くの？」

ある子供に尋ねると、

「〇〇と〇〇の病気にかかって、そして死ぬんだ」

病名は失念したが子供はいともさわやかな返事をした。

「なんだ、病気になって、すぐに死んでしまうのか。それではつまらなくはないか」

子供は、つまらなくはないと言って、勢よく人間の世界に飛び出して行った。

もう随分昔に読んだ本で、記憶はさだかではないが、多分こんな話合いだったと思う。わたしはよく、この子供の言葉を思い出して、自分に負わされた使命を、素直に受けいれるその崇高さに、深い感動を覚えたものだった。

むろん、苦難はないほうがのぞましい。誰もが健康で、肉親の死に悲しむこともなく、愛する人に裏切られることもなく、金銭に不自由することもなく、平和に生きて行けたなら、どんなに幸いであるか、わからない。

が、それにはそれなりの、神のみが知る深いご計画があるにちがいない。苦しみは、もしかしたら神からの貴重なプレゼントなのかも知れない。

だからといって、すべてを神の責任に帰するということではない。当然、その人の責めに帰すべき苦しみ、あるいは社会や政治の責めに帰すべき苦しみも世には数多い。

わたしの言いたいのは、それらのいずれにも帰することのできない苦難がこの世には存在するということなのだ。

わたしの自伝「道ありき」に、前川正というわたしの幼な馴《な》じみが出てくる。彼の人となりは、わたしの「道ありき」を読んだ青年たちは、自分も前川正さんのような人間になりたい、という手紙をたくさん送ってくれたことだけでも、わかるかと思うが、彼は真実なクリスチャンであった。その彼の育った家庭は、まことに平和なクリスチャンホームで、敬虔《けいけん》な信仰を持つ父母と、彼と、弟一人、妹一人の家族だった。彼の母上は、頭もきわめてよく、誰からもしたわれる婦人であったが、三人のお子さんのうち、正とその妹の美喜子を天に送り、正の死後しばらくして上川町に住んでいられた。ところが、隣家からの火事で家が全焼した。しかも、再建後どれほども経ぬうちに、乳ガンにかかって苦しい闘病の後に天に召された。

なぜ、あれほどの信者が、あんなにも次々と辛《つら》い思いにあわねばならなかったかと、彼の家族を愛する人々は、深く心を痛めたことであった。

だが、わたしの知る限りにおいては、母上はその幾度かの、どの苦難の時にも、結局は、実に神への感謝に溢《あふ》れていられた。あのような感謝の深さ、高さというものは、もはやこれは他の人のうかがい知ることのできない境地なのではないだろうか。それは、思いもかけぬ大金がころがりこんだということや、大きな家を建てたなどという喜びとは、全く質の違ったものなのだ。その人間の人格を清め、高める崇高な喜びなのだ。やがては忘れ去ってしまうような喜びではなく、その後の人生を支えてくれるような、そして周囲の人々をも励まし浄化する永続性のある感謝の故《ゆえ》の喜びなのだ。

その喜びはどこから来るものなのか。長年神に祈り、神と語り合ってきた、その神から来るものなのだ。このように、苦難の時でも祈りによって与えられる深い感謝は、決して人から与えられるものではない。

それは、かの三重苦の聖者といわれるヘレン・ケラーの生活をみても、わかるところである。

だから、祈りの代りになるものはない。繰り返すが、神と私との対話なのだ。汝と吾との対話なのだ。この神に代り得る人が、どこにいるであろう。

神は、永遠から永遠にいます方である。七十年か八十年で死ぬ人間の、この有限な身には、神の御心は測り知れないが、神は愛なる方なのだ。わたしの、今の祈りは、すべてのことが、わたしの願いどおりになることではなく、神の御心のままになるようにと、祈り得る真の信仰が与えられることである。心からこのように祈り得る時にこそ、前川正の母上のように、いかなる苦しみの時にも感謝し得る信仰に至り得るのではないだろうか。

終章

一

わたしは、この信仰入門において、人間がいかに罪深く、弱く、愛がなく、不自由な、そして虚《むな》しい存在であるかを述べてきた。しかし、このいわば絶望的な状態の人間にも、神を知る時に新しい生き方が与えられることを記し、神とは何か、イエスは神の子キリストか、なぜイエスは十字架にかかられたのか、キリストは本当に復活したのか、信ずるとは何か、苦難は何故《なにゆえ》にあるのか、いかに祈るべきか、教会をどのようにして訪ねたらよいかなどを次々に述べてきた。

もとより一信徒であるわたしの書いた信仰入門である。平易にとねがう余り、説明の不適確な点や、重複し過ぎてかえって疑問を招いた点や、その他書き足らぬ点も多々あることと思う。また故意に触れなかった問題もある。それらの点は、教会に行き、直接牧師に尋ねてほしいとわたしはねがう。

ところで、この入門の最後に、わたしは「謙遜《けんそん》」について少しく言及し、更に、わたしにとって特に力になり、慰めになった幾つかの聖書の言葉を紹介して終りたいと思う。

水力発電は、高い所から低い所に落ちるその落差を利用してなされている。落差が大きければ大きいほど、力は発揮されるのである。神の力が人間に現われるためには、わたしたちは心を謙遜にし、低い低い姿勢で身を屈《かが》めなければならないのだ。神を無視し、あるいは神の前に傲然《ごうぜん》と顔を上げていては、何も生まれはしない。

信仰の要諦《ようてい》を尋ねられたアウガスチンは、「一に謙遜、二に謙遜」と答えたという。この謙遜を失っているために、わたしたちは神を見失い、人間としてあるべき所から遠く離れてしまっていると言える。

聖女といわれたテレジアは、

「目の前に立ちはだかる患難を、乗りこえることができない」

と嘆いた人に、こう忠告している。

「乗りこえることができなければ、くぐることです」

つまり、謙遜な低い姿勢をとれということであろう。信仰生活において、わたしたちがもし何か困難に遭ったとしたら、自分はただ小さい者であると、知るべきなのかも知れない。わたしはいつも思うのだが、自分を小さな者と心から思った時には、人間関係のいざこざの大方は解消するのではないだろうか。

小さな小さな存在、それはヴィールスでもあろうか。わたしたちが自分をヴィールスほどに小さい存在と見るならば、自分を阻《はば》む厚い壁はない筈《はず》なのだ。なぜならヴィールスは壁を素通りできるほどに小さいのだから。

「虫けらのようなわたくしを愛し給う神よ」

「なきに等しい者をも、かえりみくださる神よ」

わたしたちは時にこのような祈りをきく。真にこのように自分を小さく見ることができた時、その人は神の偉大さも愛もよくわかって、毎日は喜びに満ちたものになるにちがいない。わたしは現実にそうした人々を知っている。キリストも言われた。

〈心の貧しい人たちは幸いである。天国は彼らのものである〉

心の貧しいとは、誇るべきものが一杯つまった状態とは反対に、何の誇るべきもののない心のありさまを指す。わたしはいま、こう書きながら、「謙遜」が神の国に至る鍵《かぎ》であることを改めて思い知らされたような気がしてならない。

次にわたしは、わたしの心に沁《し》みた聖句（聖書の言葉）をいくつか書いてみたい。

〈汝《なんじ》の若き日に汝の創造主《つくりぬし》を憶《おぼ》えよ〉

伝道の書十二章一節

この聖句を読んだ時、わたしは心からの共感をおぼえずにはいられなかった。わたしは十七歳そこそこで小学校教師になった。もしそのとき、既に真の神を知っていたならば、生徒に教える教え方は全くちがったものになっていただろうと思う。いかに国家あげての軍国主義の中にあっても、生徒に戦争をよしとしては教えなかったにちがいない。

あるクリスチャンの教師は、担任のクラスに航空兵志願の割当が来た時、視力の弱い近視の生徒ばかりを志願させた。その結果、全員が試験に落ちた。落ちた生徒はむろん、そのクラスの生徒たちも、他のクラスの生徒たちも、一斉にこの教師を白眼視した。教師は非国民だと罵《ののし》られた。だがこの教師は黙ってそれに耐えた。彼は、愚かな戦争に、何としても生徒をむざむざ死なせることはできなかったのだ。

真に命の大切なことを知っている彼が、白眼視されながらも、教え子を死地に送り出さなかったほどの愛に生きていたその同時代に、わたしは戦争を謳歌《おうか》し、国のために死ぬべきことを生徒たちに鼓吹していた馬鹿《ばか》な教師だった。

もし、わたしが、若き日に創造主、キリストの神を知っていたならば、少しはもっとまさった教師として生き、敗戦後も、虚無の中に沈まずに済んだものをと、この聖句を読んだ時しみじみ思ったことであった。

〈罪の払う価《あたい》は死なり〉

何と粛然とさせられる言葉であろう。この聖句をわたしが知ったのは、たしか倉田百三の「出家とその弟子」を読んだ時であったと思う。わたしはその時、罪とは、まさに命をもってしても、つぐなうことのできないものであることを思い、人間がすべて死んで行くのは当然であると思った。

だが、信仰を与えられたいま、わたしはこの自分の罪のために払うべき死を、キリストが代って死んでくださったことを、畏《おそ》れつつ思うのである。わたしの代りに死んでくださったキリストのおかげで、わたしは永遠の命を与えられたのである。神の子を十字架につけねばゆるされ得ない罪の恐ろしさを、つくづくと思い知らされる言葉である。

〈人はパンのみにて生くるにあらず〉

ある人はこの言葉を見て、
「本当だね、パンだけでなく、米の飯やおかずも食べなければならないからね」
と言ったという笑い話のような実話があるが、聖書を読みはじめた時、わたしはこの言葉の持つ深さを思わずにはいられなかった。人間が生きて行くためには、パンは必要欠くべからざるものである。この言葉もパンを全く否定しているのではないといわれるが、事実そうであろう。しかし、パンだけでは、人間は真に生きることはできないのだ。

山ほどの財宝があっても、人間は決して幸せではない。どころか、かえってそのために不幸であり悲惨ですらあり得る。人間にとって真に必要なのは、自分自身を真実に人間であらしめてくれるところの、もっと霊的なもの、即ち神の言葉、神の愛なのである。

〈だれでも情欲をいだいて女を見るものは、心の中ですでに姦淫《かんいん》をしたのである〉
ある青年が、この聖句を読んで、自分の罪の深さを如実《にょじつ》に知らされたと、わたしに告白したことがある。

わたしはこの聖句によって、キリスト教の倫理がいかに高度であるかを知らされた。

手も握らないということで、人は自分を潔白であると言いたがる。だが、この聖書の水準でいえば、情欲をいだいて女を見たならば、それで、もう姦淫と同様に見なされるのである。この高い水準で自分のすべてを見られたなら、一体わたしたちは、どのように言い開きができるだろう。

「わたしは良心に恥じる生き方をしていない」

と、わたしたちは言いたがる。だがその良心なるものは人によってあまりにも様々なのだ。一体、誰の、どの良心に従って生きるべきか。その標準はないのである。

〈もし誰かが、あなたの右の頰を打つなら、ほかの頰をも向けてやりなさい〉

聖書の言葉の中には、直ちに納得のいかない言葉も多い。これなどは一般にも有名な言葉だが、わたしは初めこの聖句が嫌いであった。弱者の倫理だと思った。右の頰を殴られたら、相手の両頰を殴ればよいではないか。いや、打たれる前に、相手を打つがいいとさえ思った。

不遜《ふそん》なわたしは、長いことこの思いを捨てることができなかった。何も黙って殴られていることはないと思っていたものだ。

わたしがこの聖句の持つ意味を、多少なりともわかったのは、西村久蔵という先生にお会いしてからであった。この方は牧師ではないが、教会でいつも先生と呼ばれ、尊敬されていた。実に逸話の多い方で、例えばこんな話もある。

ある夜、札幌北一条教会に泥棒が入った。新米の泥棒だった。その夜はちょうど祈《き》禱《とう》会で、先生もそこに出席していた。

泥棒はここを教会と知らずに入って、何と妙な所だろうと思った。皆、頭を下げて何か低い声で独りごとを言っている。自分が入って来ても、誰も頭を上げない。彼はこれ幸いと、廊下にあったオーバーを何着かひっさらって逃げた。

泥棒は親分のところに盗品を持って行き、様子を告げた。親分はオーバーのネームを調べていたが「西村」というネームを見てどなった。

「ばか野郎！　てめえこれを北一条教会から盗んできたろう。西村先生のオーバーを盗むなんて、手がくさるぞ！　返してこい」

こうして、オーバーは全部もとに返された。

この親分と、西村先生との間に、過去にどんなことがあったか、わたしは知らない。おそらく親分が先生の愛に大いに感ずる事件があったにちがいない。

幸いなことに、わたしは札幌医大入院中、よくこの先生の見舞を受けた。そのいきさつは「道ありき」に詳しく書いてあるが、見ず知らずのわたしを、先生は人に頼まれるままに見舞ってくださり、キリスト教について懇切に説いてくださったのだった。今思うと恥ずかしい話だが、わたしはこの先生にも、ずい分失礼な質問をくり返した。手を持って先生の頰を打ったことはもちろんないが、考えてみると、もっとひどい、顔を逆なでするようなことを、ずけずけと言ったものである。

せっかくの見舞の品に、

「もらいぐせがつくので、見舞品は持たないできてほしい」

とか、

「先生は信仰が篤《あつ》いようですが、いつもそのように熱心なのですか」

「人にいろいろしてあげられるようですが、本当に人のためを思ってしているのですか。それとも人によく思われたくてしているのですか」

全く失礼な話である。わたしにしてみれば、他意のない無邪気な言葉のつもりだったが、もしわたしが逆の立場であったらどうであろう。決して先生のようにニコニコと笑って受けとめることはできなかったし、今もできないであろう。

横綱の相撲は受けて立つという。真に力のある者が、攻撃を静かに受けとめることができるのであろう。右の頰を打たれて、カッとして打ちかかって行く人間よりも、悠然と他の頰をさし出す人間のほうが、ずっと精神的に底力のある強い人間であるわけである。

これは悪を放置してよいというのではない。西村先生は、叱責《しっせき》すべき場合は実にきびしく叱責してやまない熱情を持っておられた。そうした激しさと共に、よく弱い人を受けいれる力を持っておられたのだ。

一見消極的にみえるこの言葉は、実はまことに積極的な奨めということができる。ぐっと受けとめることができず、徒《いたず》らに反撃に出て、遂《つい》には破局を招くことが、わたしたち人間には何と多いことであろう。

もとよりこうした力は、一朝に得られるものではなく、長い間の祈りによって、与えられるのであろう。言葉の意味を知るだけでも、長い年月を要するわけであるから……。この模範はむろんキリストの十字架である。


〈汝らの仇《あだ》を愛し、汝らを責むる者のために祈れ〉

わたしの小説「氷点」は、この「汝の仇を愛せよ」が一つの核となっている。わたしは「氷点」の中で、自分の娘を殺した犯人の子を引きとるという設定をした。

これに対し、

「そんなむごい設定をしたのは、あなたに子供がいないからだろう。子供を持つ親は、そんな気持になり得ない」

という投書もきた。

前に書いた、津田あやさんの話をご記憶だろうか。津田さんは岡山県在住のクリスチャンである。この方には太郎さんという一人息子がいたが、太郎さんは生後十カ月で父を失った。津田さんは経済的に恵まれていたから、生活の不安もなく一人息子を育て、関西学院を卒業させた。その息子さんは大和紡績入社一年で応召、やっと帰還したかと思うと、肺結核で療養所に入った。そしてようやく全快、めでたく退所することになった前夜、療友に殺されてしまった。

津田さんは、何としても犯人を許すことができず、何年も苦しんでいたが、ついに犯人に、

「わたしはあなたを許します」

と書き、やがては刑務所に彼を訪ね、文通するようになった。こうして犯人は十三年の刑を八年で終えて出所、その後三年経て洗礼を受けた。この洗礼式を、津田さんはこう書いている。

「うれしさが潮のようにこみ上げてくるわたしには、このうえない盛儀のように思えました。式が終ると、彼はわたしにかけよりました。そして、わたしの手をその部厚

い手でしっかりとにぎりました。

『おめでとう、周作さんおめでとう』

わたしはそういうのがやっとでした。あついものがこみ上げてなりませんでした」

こうして、その夜、一人息子を殺された母親と、一人息子を殺した犯人が、一つ屋根の下に、真の母子のようにねむったのである。

津田さんは、〈汝の敵を愛せよ〉を、遂に成し得た、たぐいまれなる人だと思う。この聖句を思う毎《ごと》に、わたしは津田さんを思い、このように敵を愛し得る愛を、現実に与えてくださったキリストの愛を、讃《たた》えずにはいられないのである。

二

わたしは今ここまで書いてきて、二十数年前の自分の姿が目に浮かび、何とも言えない思いがする。

敗戦がわたしを虚無に陥《おとしい》れたことは幾度も書いたが、小学校教師だったわたしは、生徒に何を教えるべきかがわからなくなり、教室の一隅で洗濯をしていた教師だった。

そして翌年、乞食《こじき》になりたい思いを抱いて教職を辞した。わたしは二人の男性と同時に婚約するような退廃的な人間になっていた。

昭和二十一年六月一日、わたしは突如高熱を発して病床に臥《ふ》す身となった。十日と経《た》たぬある日、クリスチャンである姉の百合子《ゆりこ》は、自分の行っていた教会の牧師常田二郎先生におねがいして、おいでをいただいた。

が、わたしは牧師が見えたと聞いたとたん、頭からすっぽりと掛布団《かけぶとん》をかぶってしまったのだ。わたしは、牧師という聖なる職にある人に、会わす顔のない人間だった。その思いが、咄嗟《とっさ》に頭から布団をかぶらせてしまったのだろう。

わたしはまだ、聖書の言葉を聞く幸いな耳を持っていなかった。何を信じたいとも、信ずるに足る何があるとも思っていなかった。

先日、わたしは芦屋《あしや》市の常田先生の教会で講演をさせていただいた。先生は、はじめてお会いした時の、わたしの哀れな状態を明確に覚えていらっしゃって、

「驚ろきましたよ、あの時は。ぼくは、明らかに拒否されたのだと感じましたよ」

と語られた。

常田先生は特別信者たちに慕われる暖い牧師である。あの時、布団をかぶって顔を出そうとしなかったわたしが、キリストについて語ったり、書いたりしているのを、常田先生は誰よりもふしぎに思っていられるにちがいない。

その後三年ほど経っても、わたしはやはり生きることに意欲を失っていた。

極量の二倍を飲めば死ねると言ふ言葉を思ひて今日も暮れたり

このままに死ねば地獄にも行き得ずと吹雪《ふぶ》ける外を眺めてゐたり

下手な歌だが、こんな虚無的な歌がノートに残っている。この歌をつくった当時の自分が、ありありと目に浮かぶ。

いつも微熱が出ていて、体が痩《や》せて行く一方だった。男の友だちが多かったが、その誰に対しても、わたしは不誠実だった。たくさんの男友だちに取りまかれていても、何の喜びもなかった。

何のために人間は生きて行くのか、それがわからぬ人生に、何の確かな喜びがあったろう。わたしの心は空《あ》き家のように荒れて、ただむなしかった。この書の第一頁《ページ》に書いてあるとおりである。

もし、あのまま、わたしがキリストを知らず、神を知らずに生きていたならば、一体どのような人生をたどったことであろう。もし、あのまま二人の婚約者の一人と結婚していたとしたら、その結婚生活はどんなものになっていたであろう。

もし、という仮定に立って、自分の人生を考えることは不遜であろうか。生きる目的もなく、ひどい倦怠《けんたい》をおぼえるだけのあの日々が、もし、あのまま際限なく続いたとしたら、わたしはおそらく、暗い憂鬱《ゆううつ》の中に窒息していたのではないだろうか。あんなにも生きることに億劫《おっくう》だったわたしが、昭和二十七年七月五日、病床で洗礼を受けた時、わたしの療友たちは、

「へえー、綾さんがクリスチャンになったって！」

と、ひどく驚ろいたということである。キリスト教が大きらいで、死んでもクリスチャンにだけはならないと放言し、信仰とはほど遠い世界に、男の友だちとちゃらんぽらんに生きていたわたしだったのだから無理もない。

〈わたしたちが、神の子と呼ばれるためには、どんなに大きな愛を父（神）から賜わったことか、よく考えてみなさい〉

と聖書には書いてある。

わたしのために、毎日のように手紙を書き、訪問し、冬の夜もひそかにわたしの病室の下で、わたしの救霊のために祈ってくれた幼馴染《おさななじみ》のクリスチャン前川正。階段を昇っただけで、目の前が真っ暗になるほどに心臓が悪かったにもかかわらず、

只《ただ》の一度も自分の体のことはおっしゃらずに、金曜毎にわたしを見舞ってくださった西村久蔵先生。

この二人も、そしてまたわたしに洗礼を授けてくださった名牧師小野村林蔵先生も、もはや共にこの世にはない。

常田二郎先生、竹内厚先生の愛と祈りと導きも、豊かにあったことをわたしは忘れない。

まことに、わたしが神の子供となるためには、どんなに多くの信者たちの祈りと愛があったことか。その何にもまして、神がわたしのためにキリストを賜わったという大いなる事実。まさしく、

〈神はその独り子を給うほどに、この世を愛してくださった〉のである。

このキリストを賜わった神の愛、そして十字架上のキリストの愛が腹に応《こた》えてわかった時、わたしの灰色の人生が全く変ってしまったのだ。

わたしは受洗の日を境に、たしかに変った。心の中にぽっと明るい灯がともり、嬉《うれ》しくて嬉しくてならなくなったのだ。そして、その喜びをわたしは人々に告げたいと思うようになった。その喜びは、受洗後の二十年近い今に至るまで、いささかも変らず、わたしは一人でも多くの人にキリストの愛を知らせたいと願いつづけ、語りつづ

けてきた。

このような思いは、おそらく二千年来代々のキリスト者たちの抱いた願いではなかったろうか。

わたしたちが神を信じようと、信じまいと、神は終日、わたしたちに向って手をのべていてくださるのだ。その愛を知ったものが、

「ほら、神のほうをごらんなさい。あなたはもう、悩むことも泣くこともないのですよ」

と言わずにはいられない思い、それは、自分も曾《か》って、砂漠の中にたった一人で立っているような淋《さび》しさ虚《むな》しさの中にあったが故《ゆえ》に、告げずにはいられない思いなのだ。

わたしのところには、毎日何通もの便りがくる。

「あなたの本を読んで教会に行くようになった」

「自分が変ったら、夫も変った」

「講演を聞いて、不良のグループから離れた」

これらの手紙を読む度に、わたしはイエス・キリストによって現わされた神の愛の大いなることを知って、感謝する。

聖書には、

〈だれかが、手びきをしてくれなければ、どうしてわかることができよう〉

と言った人の言葉が出てくる。二千年来、代々手びきをしてくれる人があって、多くの人が神を信じてきたのだ。わたしもまた、手びきをし、誘ってくれる人があって、信ずることができた。

如何《いか》に信仰の篤《あつ》い聖テレジアであろうと、シュバイツァーであろうと、生まれた時からキリストが大好きであったとは限らない。いや、人間は誰しも神を信じたくないようになっている。中にはジョージ・ミューラーのように、信ずる前はごろつきのような人だっていた。だが、その人々の人生が変えられたのも、やはり誰かに誘われたからなのだ。

わたしは、曾ってわたしに、

「聖書を読んでみませんか」

と、一冊の聖書をくれた幼馴染の前川正の声を、今も思い出す。あの時、わたしは酒もタバコも飲み、男友だちも多く、妖婦《ようふ》といわれた人間だった。彼はどんなにか勇気を出して、

「聖書を読んでみませんか」

と、言ってくれたにちがいない。

わたしはそれを思うと、今後も人々に、

「教会へ行きませんか」

「今の生活を変えてみたいと思いませんか」

と、祈りをこめて語りかけて行きたいと思う。

誘った人が、すべてキリストを受け入れるとは限らない。態《てい》よく断わられ、あるいは軽蔑《けいべつ》され、嫌われるかも知れない。が、わたしは、この章の最後に、敢《あ》えて今一度、読者の一人一人に向って呼びかけたい。

「かけがえのない、そして繰り返すことのできない一生を、キリストを信じてあなたも歩んでみませんか。今までの生活が、どんなに疲れきった、あるいは人に言えない恥ずかしい生活であっても、または言いがたいほどに苦しく悲しい毎日であったにしても、今、あなたの前に、まだあなたの足跡が一つも印されていない純白の布のような道があるのです。過去はどんな歩み方であったにせよ、自分の目の前に、足跡ひとつない道があり、そこにどんな足跡を残して行くかは、自分の自由だということ、そんなすばらしいことはないと思います。

過去はいいのです。今からの一歩を、あなたもキリストの愛の手に導かれて歩みたいとお思いにはなりませんか。そしてあなたの人生を喜びに溢《あふ》れた人生に変えたいとは、お思いになりませんか。

そのことが、あなた自身にどんなにむずかしく見えても、神が助けてくださるのです。キリストはこう言っておられます。

〈人にはできないことも、神にはできる〉

と」

光あるうちに光の中を歩もうではないか。

（注）引用の聖書は、おもに日本聖書協会訳による。

解説

水谷昭夫

『光あるうちに』は、昭和四十六年一月号から同年十二月号まで、雑誌「主婦の友」に、加山又造氏の華麗な絵をそえて連載され、雑誌掲載中からすでに反響が大きく、連載終了と同時に主婦の友社から単行本として上梓《じょうし》された。『道ありき』『この土の器をも』につづく自伝的作品三部作の第三作である。

この間著者は、『ひつじが丘』(昭和四十一年)『愛することと信ずること』(同四十二年)『塩狩峠』(同四十三年)を書きつづけているが、三部作執筆中、初期三浦氏の作品の代表作となった『続氷点』を、昭和四十五年五月から翌四十六年五月まで朝日新聞に連載。『光あるうちに』の執筆の時期とかさなっているわけで、せ、き、を切った奔流が、一度にあふれ出る光景であった。

あまりにもめざましい活躍ぶりである。そこでしばしば物語作者としての卓越した才能が指摘される。たしかに並はずれた小説家としてのすぐれた資質のせいででもあるだろう。しかしそれだけの説明では、何かものたりない。それも三浦綾子氏の一ばん大切なところが残されてしまう。たとえば、貧しく、健康にもめぐまれない無名の主婦が、長い病床生活のあと、このわずか数年のうちに、光まばゆいばかりのめざましい仕事を次々となしとげて行く。それは才能とか資質だとか、作品の形象力とかいう陳腐な文芸論のなかに、過不足なくおさまりきるようなしろものではない。それは余りに力強く、ひっこみ思案の近代知識人にとっては時にへきえきする程の生命力にあふれた出来事であった。

言ってみれば、『道ありき』にはじまる自伝的三部作は、このように、奔流のようにあふれ出る著者三浦綾子氏の生命の謎《なぞ》をときあかす、貴重な作品となったものである。

したがってこれらの作品は、普通言われている自伝小説の概念に、過不足なくあてはまるというわけのものではない。私はこれまで「自伝的作品」という言葉を、いささかあいまいに使って来たが、それは、著者がこの一連の作品で示している作品的関心が、たとえば世にいう「自伝」のように、しばしば「赤裸々なる自己の告白」などという、自己にはじまって自己におわる、著者の私の経験に終始してはいないことによるものである。経験がただ経験として語られるというのではなく、自分の経験を体験化する、そんな言い方が適当かどうかわからないが、著者が三部作を「書く」ことによってなしとげて行こうとしたのは、何よりもまず、そのような情熱であったと言えるだろう。ということはしかし「自伝」がひくい次元のものだというのではなく、ただ三浦綾子氏の自伝的三部作が、いわゆる「自伝」の形をとりながら、その言わんとする肝心なところで「自伝」をこえているということを言っておきたいまでのことである。

たとえば三浦綾子氏は、現代のもの書きが没頭しがちな、一種の気まぐれな独善主義によって、小さな経験とそれをとりまくもの珍しい情況が、まるでこの世界そのものであるかのように思いこんだり、そのように語ったりはしない。『道ありき』の中にえがかれている、限りない悲哀にみちた苦しい出来事の一つ一つに、読むものがかくも深く心を動かされるのは、それがただ、一人の人間がたまたま経験した一つの出来事、一つの事実としてえがかれているにとどまらず、三浦綾子氏自身、その苦しみのなかにいまもなお生きつづけているという人間的現実によるものである。

三浦綾子氏はつねに、そのような人間の現実をさし示す。それには何が大切なのか。敗戦直後の混乱した教壇に立ちつくして、著者は教科書を墨でぬりつぶしながら、意味を喪《うしな》った事実の空《むな》しさを思い知らされた。事実、事実、どれほどもの珍しい事実をかきあつめてみても、人間の現実をさし示すものとはならない。実体を喪った人間も同じ。生きる意味、生きる目的を喪った人間といえばわかりやすいかも知れない。その惨めさ。著者は『道ありき』を、二人の男性と同時に婚約した無責任な事実を描くことからはじめているが、著者はここで、罪を犯しつつ、罪の意識すらもたぬ、悲惨な人間の姿をたくみにとらえている。この悲惨は、以来三浦氏の作品のなかで、様々な形をとりながらくりかえし登場してくることとなるが、この悲惨は、自らが悲惨なだけでなく、それとかかわることを余儀なくされている周囲の人たちをも悲惨におとしいれる事において二重に悲惨なのだ。マックス・ピカートという思想家は、この実体を喪失した人間、無意味な、その場かぎりの事実から事実を転々とわたりあるく人間を「関連性喪失人間」となづけ、暴虐《ぼうぎゃく》をほしいままにしたヒトラーの中にその存在を見出《みいだ》している。このように、ことヒトラーのアウシュビッツをひきあいに出すまでもなく、生きる目的を喪った人間の悲惨と暴虐は、きわめてわかりやすい形で、三浦氏の作品の宗教的主題となって行くものである。

その登場人物たちは、平気で人を誹謗《ひぼう》する。罵倒《ばとう》したり傷つけたり裏切ったりすることなど日常茶飯事である。そして実体を喪った事実の集積のなかに埋没して、罪の意識がない。まるで幽鬼のように。それは、三浦綾子氏自身の姿でもあったのである。

その喪失の谷間をさまよいながら、著者はやがて「人間の現実」にめざめていく。その「経過」が『道ありき』であった。

「女には魂があるか」とそれは書きはじめられた。つまり著者の目はまっすぐに、人間の現実を現実たらしめているものにそそがれて行く。つまり、人間の魂に対する共感のないところに、人間の現実はない。そう三部作の著者は訴えつづけるのである。人間の魂の存在にめざめ、その魂をもっとも愛しているものの存在をさししめすこと。そのことをおいて、人間の現実はすべて空しいという。作品は『道ありき』『この土の器をも』と書きつがれ、『光あるうちに』に至って、一そうこの人間的現実の主題の核心へと迫って行くのである。

雑誌「主婦の友」に、『光あるうちに』の連載予告を、著者は次のように書きとどめている。

世界最高の文学といわれる聖書から、有名な言葉や物語を引用し、私の会ったすばらしい信仰の先輩の生き方や、ただ人間と人間のからみ合いの中に悲しみ苦しんでいる人たちの姿をも織りまぜて筆を進めたいと思います。

これはひとり『光あるうちに』の意図であるばかりではない。三浦綾子氏の「信仰と文芸」である。聖書を世界最高の文学だと著者は言っているが、とりもなおさず、文学とは、三浦綾子氏にとって、聖書のごときあり方をめざすべきものなのだということに他《ほか》ならない。この素直な表現は、一つのおどろきですらある。たとえば太宰治が、かつて『如是我聞《にょぜがもん》』というエッセイのなかで、「人はおのれの神をかくす」と、現代の「無教養な知識人」の虚妄性を攻撃したことがあったが、それはまた、私たちの時代が、おのれの神を持つこともさりながら、おのれの信ずるもの一つを、素直に言いあらわすことが、すでに困難な出来事となっていることを語ってくれるものとなっているのである。『道ありき』『この土の器をも』を書いた三浦綾子氏が、『光あるうちに』にいたってこころみようとしたのは、まさしくかかる「おのが神」を、すべての文学的修飾、神学的根拠づけ、哲学的解釈をぬいて、かぎりなく素直に語るという、いわば現代至難の出来事であったと言えるだろう。『氷点』におけるめざましい成功があったからこそ可能であったと言えなくはない。またその同じ理由が、一そうかかる出来事を困難にしていると言うことも可能である。しかし、三浦綾子氏は、たんなる文学的成功のみをめざす道をえらばず、作品としてかかる「おのが神」をあかす道をえらんだ。『光あるうちに』である。

全篇ざっと三十五カ所。主婦の友社刊行『光あるうちに』二二六頁《ページ》中、およそ六頁に一つの割合で聖句がひかれていることになる。ここへ聖書の中の物語の説明がくわえられると、この割合はさらにふえる。全篇これ聖書の引用と言っていいほど。

『光あるうちに』はこうして書きはじめられる。まず「序章」である。

怠惰な自分に自己嫌悪《けんお》を感じている日々の出来事からはじまる。日々死にむかって、一歩一歩あゆんでいるにすぎない人間の空しさ。生きる目的、生の実体を喪った人間の悲惨。著者はそのような悲惨を描きつつ、そのもう一つむこうに、そのような悲惨よりもっと悲惨な状態にありながら、なおも光につつまれた人びとの姿、たとえば、立つことも寝返りも一人で出来ず、出来ることと言えばただ呼吸をすることだけの、ハンセン氏病のAさんの、希望にかがやいている顔を描く。その枕《まくら》もとの点訳聖書をさし示すのである。そして、かかる人にさえ、光輝く顔で生きることのできる力をあたえてくれるものがあるのだと言う。必要以上に深刻ぶりもせず、事実をその意味において語らしめるという趣きで、さりげなくアネクドートと聖句のデアローグを、淡々とくりひろげていくのである。

ついで「罪とは何か」。ここで著者は、すべて人は滅びゆく、罪人であるという、キリスト教の人間とこの世界に対する根本的な考え方をのべて行く。これは『氷点』

の主題を形成した「原罪」とも通ずる。著者の大切な人間理解の核心を形づくるものでもあるが、元来難解な「罪」についても、著者はまことにわかりやすく説きあかしてくれるのである。たとえば著者は「自己中心」が罪のもとであるという。それは「神」の方を見ない。人は自分の罪を許る物指と、人の罪を計る物指と、二つもっているのだという、この明晰《めいせき》な罪の理解が、以来三浦綾子氏の作品の中に、限りない人間の悲哀とともに、様々な形をもって描かれていくこととなるのである。聖書はそして、実に生き生きと、この罪の姿をとらえたものであることを述べる。

さらに「人間この弱き者」。占い一つ、病気一つ、まことに些細《ささい》なことで、動揺し、時には破滅に瀕《ひん》することだってある。ここで母親が「満州」で子供を捨てる話が登場するが、すぐれた短篇小説にもまさる、人間の断層が、暗い感銘をともなって織りなされている。著者はここで、「ゆるがないもの」がほしいのだと述べる。ことばにすればただそれだけのものを、まことに深い説得力をもって、人間のくずれやすさについて語るのである。そのなかにあらわれて来る「ゆるがないもの」への希求は、作品『氷点』のヒロイン陽子が、あの絶望のなかから切に望んだものであった。そしてそれはまた著者の世界のもっとも根源的な希求がしめされたものでもあるのだ。

作品はこうして「自由の意義」「愛のさまざま」「虚無というもの」とつづいていく。

そこではいずれも、私たちがいかに「自由」を誤認し、「愛」でないものを「愛」であるかのように思いこんで人を傷つけ、自らもまた空しいか。いずれも人間のもつはかなさ、たよりなさ、罪や、ぬきがたいエゴイズムの赤裸々なすがたが、淡々と語られていくのである。著者はまず、人間の悪の悲惨を直視することからはじめようとしているのだと言えるだろう。しかし著者のねらいはそこにはない。人間の悪の悲惨を描きながら、実はその中にすでにさしこんでいる「光」について語ろうとしているのである。

それはまるで、人間の魂の上に神の光が輝き増すにつれて、人がおのが魂の深みを見ぬいて行く光景ででもある。

すべての自己欺瞞《ぎまん》をすてて、あるがままの自己とむきあうこと。それがどれほどむつかしいことか。著者がこころみるのは、このいかにもやさしく、それでいて困難な出来事なのである。あるがままの自己の姿と面とむきあって人はなおも生きていけるか。それは作品『氷点』の主題であった。『光あるうちに』にあって、この人間の暗い魂の現実こそ、すでに「光あるうちに」とらえられたものであるのだと、くりかえし語りあかすのである。

どんな嘘《うそ》つきでも、非行的な性格でも、盗癖があっても、残忍でも、親不孝でも、冷酷でも、神にとっては捨つべき存在はない。どのような失意ですら、それは神の愛のためにそなえられたものであるとも言う。そしてさらにすすんで、脱落や喪失であったものが、そのままここに利得ですらあり、滅びることのない希望となって、いくらかのエピソードを通じて静かに示されるのである。

作品の大きな部分を占める聖句の引用、聖書物語をいれると四十カ所におよぶことは前にも述べた通り。たとえ一行にもせよ、歴史の重みにたえ、多くの人びとに真の希望の火をあたえつづけた、ある意味で、凄《すさ》まじい力にあふれたことばである。それをひきあいに出して何かを語るなどということはそれほど生やさしいことではないのだ。とりわけ現代の衰弱した文体のよく耐えうるところではない。『氷点』の当選にたちあった門馬義久氏は、三浦綾子氏のひきあいに出す聖書のことばが実にいいと言う。それはおそらく、かつて著者があじわった苦しみと悲しみのなかで、著者を生かし、深い魂の共感のなかで涙しつつ眺められたことばであることによるものであろう。引き出して、黙って示すだけで、それが一つの信仰のあかしとなっている。まことしやかな註解《ちゆうかい》をほどこしているのではない。また、目新らしい解釈を披露しているのでもない。『道ありき』と『この土の器をも』の著者が、満身創痍《そうい》のまたちあらわれて、喜びにみたされ、輝く顔をあげ、私たちに聖句をさし出してくれた。それが『光あるうちに』である。

聖書の言葉は、片言といえども命があり、力がある(「キリストの復活と聖書」)と言う。著者はそのことのあかしとして、まず自らをさし示し、すぐれた短篇小説を思わせるような挿話を簡潔に述べるのである。それはすでに著者の作品のなかでとりあげられたものもあれば、のちに作品の主題となるものでもある。

ことばがすでに、一つの思想をつたえるということが困難になってしまった私たちの時代である。まして説得したり、失意や絶望の中から、たとえ一人の人間でも、たちあがらせるなど思いもつかぬことである。このような時代、作品はつつみかくさず「おのが神」を語り、人を回心にみちびこうとする。おそらく近代的なもの書きが、ほとんど思いおよばなかった出来事であろう。

このようにして『光あるうちに』は、失意にうちひしがれた人、罪のうちにとどまり、人を傷つけ、または傷つけられている人、あるいは愛することに悩み、絶望して生きる望みをうしなった人にかたりかける。どんな人にも、越え得ぬ人生の深淵《しんえん》というものがある。しかし、そのすぐ隣に決して滅びることのない、希望の「光」がさしているのだということに気附いてほしいと。

それは著者自身、かつて苛酷《かこく》な「青春」の昼と夜に、自分の魂を愛するものと出会ったことに由来している。前川正、彼は、生きる意味を喪った著者に、一冊の聖書をさし示した。そして彼女のために「祈」った。そのことによって著者は、人生の深淵に光をなげかけている「わが魂を愛する」神を知ったのである。現在の夫君光世氏もそうであった。希望の一かけらもないところで「祈」って「待」った。

だから『光あるうちに』の著者は、「態《てい》よく断わられ、あるいは軽蔑《けいべつ》され、嫌われるかも知れないが」(終章)、それでもなお、

「聖書を読んでみませんか」

と語りかけるのである。それは前川正が、無限の愛をこめて彼女に語りかけたことばであった。著者は自らの小説のなかに、しばしば石でうたれながら、路傍で伝道する人の姿を描いているが、『光あるうちに』はまさしく、全身の熱誠と素直さをもって、路傍に愛を説く人のような、切なる思いで書かれたものと言えるであろう。そのことばは平明で、かぎりなくやさしい。多くの読者が、このことばに心をひらき、暗

い喪失の谷間から立ちあがって行ったが、それはけっして不自然な出来事ではなかったのである。

悲しみのときも、喜びのときも、ともに輝く顔をあげて、かけがえのないあなたの生涯をゆたかに生きてみませんかと、作品はむすんでいる。『道ありき』『この土の器をも』に続く三部作の最後のこのことばは、いままでの著者の苛酷な生涯にうらづけられて、あふれるばかりに優しい。そしてさらに、このことばにさしこんでいる優しい光芒《こうぼう》は、三部作にえがかれた苦難の昼と夜を、すみずみまで覆いつつんで、輝きを増す。それはたとえばどのようなこえがたいこの人の世の苦難であろうと、歓喜あふれる神の栄光の輝きに至るという、現代における一種神聖喜劇の地平をさししめしているように見える。それこそこの『光あるうちに』をすぐれた作品たらしめている大切な生命というべきものである。

（昭和五十七年一月、関西学院大学教授）

この作品は昭和四十六年十二月主婦の友社より刊行された。

光《ひかり》あるうちに

—道ありき(三) 信仰入門編—

新潮文庫　み - 8 - 5

昭和五十七年二月二十五日 発行
平成十四年十月二十五日 四十一刷改版
令和 六 年 十 月 三 十 日 五十四刷

著者 三《み》浦《うら》綾《あや》子《こ》

発行者 佐藤隆信

発行所 株式会社 新潮社
郵便番号 一六二―八七一一
東京都新宿区矢来町七一
電話 編集部(〇三)三二六六―五四四〇
読者係(〇三)三二六六―五一一一
https://www.shinchosha.co.jp

価格はカバーに表示してあります。

乱丁・落丁本は、ご面倒ですが小社読者係宛ご送付ください。送料小社負担にてお取替えいたします。

印刷・錦明印刷株式会社　製本・株式会社植木製本所

ISBN978-4-10-116205-8 C0193